D1588240

Paasparade

Van Richard Yates verschenen eerder bij De Arbeiderspers:

Revolutionary Road (roman)
Veertien soorten eenzaamheid (verhalen)

Voor Gina Catherine

Deel 1

Hoofdstuk 1

Geen van beide zusjes Grimes zou in het leven gelukkig worden en als ze erop terugkeken leek het altijd of de narigheid met de scheiding van hun ouders was begonnen. Dat was in 1930 geweest, toen Sarah negen was en Emily vijf. Hun moeder, die de meisjes aanmoedigde haar vooral 'Pookie' te noemen, vertrok met hen uit New York naar een huurhuis in Tenafly, New Jersey, waar de scholen naar ze dacht beter zouden zijn en ze hoopte aan een carrière als makelaar voor de buitenwijken te beginnen. Er kwam niets van terecht – net als van haar meeste plannen voor een zelfstandig bestaan – en twee jaar later verlieten ze Tenafly weer, maar voor de meisjes bleef die tijd gedenkwaardig.

'Komt jouw vader nooit thuis?' vroegen andere kinderen, en dan was Sarah altijd de eerste die uitlegde wat echtscheiding was.

'Zie je hem wel eens?'

'Tuurlijk wel.'

'Waar woont hij?'

'In New York.'

'Wat doet hij?'

'Hij schrijft krantenkoppen. Hij schrijft de koppen voor de *New York Sun*.' En uit de manier waarop ze het zei bleek dat ze onder de indruk moesten zijn. Een dikdoenerige, onverantwoordelijke verslaggever of een werkezel van een redactiemedewerker kon iedereen zijn, maar de man die de koppen schreef! De man die het dagelijks nieuws tot in alle gecompliceerde facetten ervan las om de saillante details eruit te halen en dan alles in een paar goedgekozen woorden samenvatte, kunstig in zo'n vorm gegoten dat het een beperkte ruimte vulde – zo iemand was een voortreffelijk journalist en een vader die de naam eer aandeed.

Toen de meisjes hem een keer in de stad gingen opzoeken, gaf hij hun een rondleiding door het bedrijf en zagen ze alles wat er bij de *Sun* te zien was.

'Straks rolt de eerste editie van de persen,' zei hij, 'dus gaan we daar nu in de drukkerij naar kijken; daarna laat ik jullie de bovenverdieping zien.' Hij nam hen via een ijzeren trap die naar inkt en krantenpapier stonk mee naar beneden, en daar aangekomen gingen ze een grote ondergrondse ruimte in waar hoge rotatiepersen in het gelid stonden. Drukkerijpersoneel liep haastig af en aan, ieder van hen droeg een kordaat mutsje van ingewikkeld vierkant gevouwen krantenpapier.

'Pappa, waarom hebben ze van die papieren mutsen op?' vroeg Emily.

'Ik denk dat ze zouden zeggen om geen inkt in hun haar te krijgen, maar volgens mij dragen ze die alleen omdat het joyeus staat.'

'Wat is "joyeus"?'

'Dat is net zoiets als die beer van jou,' zei hij, en hij wees op de met granaatrode steentjes bezette broche in de vorm van een teddybeer die ze die dag op haar jurk droeg, in de hoop dat die hem zou opvallen. 'Dat is een heel joyeuze beer.'

Ze keken hoe de gebogen, pas gegoten metalen drukplaten van de pagina's op transportwalsen kwamen aanglijden om op hun plaats op de cilinders te worden geklemd; toen, nadat er bellen hadden gerinkeld, keken ze naar het draaien van de persen. De stalen vloer beefde onder hun voeten, het was een kietelend gevoel, en het lawaai was zo overweldigend dat ze niet met elkaar konden praten: ze konden elkaar alleen maar glimlachend aankijken en Emily hield haar handen tegen haar oren. Witte stroken krantenpapier liepen links en rechts door de machines en een keurige, elkaar overlappende overvloed van kant-en-klare kranten schoof naar buiten.

'Hoe vonden jullie het?' vroeg Walter Grimes terwijl ze de trap op liepen. 'Nu gaan we op de redactie kijken.'

De redactie was een vlakte vol bureaus waaraan mannen op schrijfmachines zaten te hameren. 'Waar vooraan de bureaus tegen elkaar geschoven staan is de stadsredactie,' zei hij. 'De redacteur is die kale man die nu in de telefoon praat. En die man daar is nog belangrijker. Dat is de hoofdredacteur.'

'Waar staat jouw bureau?' vroeg Sarah.

'Ik werk aan de redactietafel. Aan de buitenrand. Daar, zie je?' Hij wees naar een grote halfronde tafel van geelhout. Halverwege de rechte kant zat iemand in z'n eentje en zes anderen zaten langs de ronde rand te lezen of met een potlood iets te schrijven.

'Schrijf je daar de krantenkoppen?'

'Eh, ja, koppen schrijven hoort er ook bij. Dat gaat zo: als een verslaggever of een redactiemedewerker een verhaal af heeft geeft hij dat aan een loopjongen – die knul daar is een loopjongen – en die brengt het dan naar ons. Wij kijken het artikel na op grammatica en spelling en interpunctie, daarna schrijven we er een kop boven en kan het zo de krant in. 'Hallo, Charlie,' zei hij tegen een man die op weg naar de waterkoeler langskwam. 'Charlie, mag ik je aan mijn dochters voorstellen? Dit is Sarah en dit Emily.'

'Zo,' zei de man, en hij boog zich vanuit zijn middel voorover. 'Wat een schatjes. Prettig kennis te maken.'

Daarna nam hij ze mee naar de telexkamer, waar ze konden zien hoe uit de hele wereld het nieuws van de telexdiensten binnenkwam, en naar de zetterij, waar van dat alles een zetsel werd gemaakt en in paginamallen gemonteerd. 'Zo, zullen we dan nu lunchen?' informeerde hij. 'Willen jullie eerst naar de wc?'

Terwijl ze in de lentezon buiten door het City Hall Park liepen hield hij van allebei een hand vast. Ze droegen allebei een dunne jas over hun zondagse jurk, met witte sokjes en zwarte lakleren schoentjes, en ze zagen er leuk uit. Sarah was degene met het donkere haar en een blik van vertrouwende onschuld die haar nooit zou verlaten; Emily, een hoofd kleiner, was blond en mager en een en al ernst.

'Het stadhuis stelt niet veel voor, vind je wel?' vroeg Walter Grimes. 'Maar zie je dat grote gebouw daar door de bomen? Dat donkerrode? Dat is de *World*... wás, moet ik zeggen; is vorig jaar over de kop gegaan. Mooiste dagblad van Amerika.'

'Maar nu is de *Sun* het beste, ja toch?' vroeg Sarah.

'Nee hoor, honnepon; de *Sun* is echt niet zo best.'

'O nee? Waarom niet?' Sarah keek zorgelijk.

'Ach, het is een beetje reactionair.'

'Wat betekent dat?'

'Dat betekent heel, heel erg conservatief; erg Republikeins.'

'Zijn wij dan niet Republikeins?'

'Je moeder is denk ik wel Republikeins, schattebout. Ik niet.'

'O.'

Hij dronk voor de lunch twee whisky en bestelde voor de meisjes gemberbier; daarna, terwijl ze zich te goed deden aan hun kip met champignonsaus en aardappelpuree, zei Emily voor het eerst sinds ze het krantengebouw verlaten hadden ook iets. 'Pap? Waarom werk je daar dan, als je de *Sun* niet goed vindt?'

Zijn lange smalle gezicht, dat de meisjes allebei knap vonden, stond vermoeid. 'Omdat ik een baan moet hebben, konijntje,' zei hij. 'Banen zijn niet dik gezaaid. En als ik nou veel talent had zou ik misschien promotie maken, weet je, maar ik zit gewoon... je weet wel... ik zit gewoon aan de redactietafel.'

Het was niet veel om in Tenafly mee terug te komen, maar ze konden toch nog altijd zeggen dat hij krantenkoppen schreef.

'...En als je denkt dat krantenkoppen schrijven makkelijk is, dan heb je het goed mis!' zei Sarah een keer na schooltijd op de speelplaats tegen een beledigende rotknul.

Maar Emily was een pietje-precies en herinnerde haar zusje zodra de jongen buiten gehoorsafstand was aan de feiten. 'Hij zit gewoon aan de redactietafel,' zei ze.

Esther Grimes, of Pookie, was een kleine dynamische vrouw die zich uitsluitend leek te wijden aan het bereiken en hoog houden van een ondefinieerbare eigenschap die ze 'flair' noemde. Ze bestudeerde aandachtig modebladen, kleedde zich met smaak en probeerde allerlei kapsels uit, maar haar blik bleef verbijsterd en ze leerde nooit helemaal om haar lippenstift binnen de grenzen van haar mond te houden, waardoor ze een verbouwereerde en kwetsbaar onzekere indruk maakte. Ze trof bij rijke mensen meer flair aan dan bij de kleine burgerij, dus streefde ze bij het opvoeden van haar dochters naar het gedrag en de manieren van de rijkdom. Ze probeerde altijd in een 'nette' buurt te gaan wonen, of ze zich dat nu kon veroorloven of niet, en ze probeerde streng te zijn op het hebben van nette manieren.

'Lieverd, zou je dat níét willen doen,' zei ze een keer 's ochtends bij het ontbijt tegen Sarah.

'Wát doen?'

'Je toastkorsten zo in je melk soppen.'

'O.' Sarah haalde een lange doorweekte korst beboterde toast uit haar glas melk en bracht die druipend naar haar vooruitgestoken mond. 'Waarom niet?' vroeg ze na het kauwen en doorslikken.

'Daarom. Het maakt geen nette indruk. Emily is vier jaar jonger dan jij en die doet zoiets kinderachtigs niet.'

En dat was ook weer zoiets: ze liet altijd, op talloze manieren, doorschemeren dat Emily meer flair had dan Sarah.

Toen duidelijk werd dat ze het als makelaar in Tenafly niet zou redden, ging ze vaak de hele dag naar een andere buitenwijk, of naar de stad, en bracht de meisjes dan bij een ander gezin onder. Sarah leek haar afwezigheid niet zo erg te vinden, maar Emily wel: ze hield niet van de geuren van andermans huizen; ze kreeg geen hap door haar keel; ze maakte zich de hele dag ongerust en stelde zich daarbij afschuwelijke verkeersongelukken voor, en als Pookie hen een paar uur te laat kwam afhalen huilde ze als een klein kind.

Op een dag in de herfst gingen ze naar een gezin dat Clark heette. Ze hadden hun aankleedpoppen bij zich voor het geval ze aan zichzelf zouden worden overgelaten, hetgeen waarschijnlijk leek – de drie kinderen Clark waren allemaal jongens – maar mevrouw Clark had haar oudste zoon Myron op het hart gedrukt een goede gastheer te zijn en hij nam zijn taak ernstig op. Hij was elf en bleef zich het grootste deel van de dag voor hen uitsloven.

'Hé, moet je kijken,' zei hij steeds weer. 'Moet je zien.'

Achter in de achtertuin van de Clarks lag op stalen stutten een horizontale stalen pijp en Myron was heel goed in het maken van een vogelnestje. Hij rende naar de stang terwijl de slippen van zijn hemd onder zijn trui uit flapperden, greep de stang met twee handen vast, zwaaide zijn hielen eronder langs en eroverheen en bleef aan zijn knieën hangen; daarna stak hij zijn handen langs zijn benen omhoog, draaide zich binnenstebuiten en liet zich in opstuivend stof op de grond vallen.

Naderhand ging hij zijn broertjes en de meisjes Grimes voor in een ingewikkeld oorlogsspel, waarna ze binnen zijn postzegelverzameling gingen bekijken, en toen ze weer buiten kwamen liepen ze daar wat doelloos rond.

'Hé, moet je zien,' zei hij, 'Sarah kan nog net zonder hem te raken onder de stang door.' Het was waar: de bovenkant van haar hoofd bleef ruim een centimeter onder de stang. 'Weet je wat,' zei Myron. 'We laten Sarah zo hard ze kan naar de stang lopen en dan gaat ze er rakelings onderdoor en dat is dan een hartstikke mooi gezicht.'

Er werd een afstand bepaald van zo'n dertig meter; de anderen bleven langs de zijlijnen toekijken en Sarah begon te rennen, haar lange haar achter zich aan wapperend. Wat niemand besefte was dat een rennende Sarah groter zou zijn dan een stilstaande Sarah – Emily besefte het een fractie van een seconde te laat, toen er niet eens tijd meer was om hard te schreeuwen. De stang raakte Sarah vlak boven haar oog met een geluid dat Emily nooit zou vergeten – *doing!* – en even later lag ze te kronkelen en gillen in het zand, haar gezicht onder het bloed.

Emily plaste in haar broek toen ze met de jongens Clark naar het huis rende. Ook mevrouw Clark gilde een beetje toen ze Sarah zag; daarna wikkelde ze haar in een deken – ze had gehoord dat mensen na een ongeval soms in shock raken – en reed met haar naar het ziekenhuis, Emily en Myron op de achterbank. Sarah huilde toen al niet meer – ze was nooit zo huilerig – maar Emily was nog maar net begonnen. Ze huilde de hele weg naar het ziekenhuis en in de gang voor de afdeling Eerste Hulp waaruit mevrouw Clark drie keer tevoorschijn kwam om 'Niets gebroken' en 'Geen hersenschudding' en 'Zeven hechtingen' te zeggen.

Daarna waren ze allemaal weer in het huis – 'ik heb nog nooit iemand gezien die zó goed tegen pijn kan,' zei mevrouw Clark steeds weer – en lag Sarah op de bank in de verduisterde woonkamer met haar gezicht grotendeels pimpelpaars en blauw opgezwollen terwijl een dik verband één oog blinddoekte en boven op het verband een handdoek met ijs lag. De jongens waren weer buiten in de achtertuin, maar Emily wilde de woonkamer niet uit.

'Je moet je zusje rust gunnen,' zei mevrouw Clark tegen haar. 'Ga jij nu ook maar naar buiten, lieverd.'

14

'Hindert niet,' zei Sarah met een vreemd zwak stemmetje. 'Ze mag wel blijven.'

Dus mocht Emily blijven, en dat was misschien maar goed ook, want als iemand zou hebben geprobeerd haar weg te trekken van de plek waar ze op het lelijke tapijt van de Clarks op haar natte vuist stond te bijten, had ze gevochten en geschopt. Ze huilde nu niet meer; ze keek alleen maar naar haar zusje dat languit in de schaduwen lag en voelde de ene afschuwelijke golf van verlies na de andere.

'Hindert niet, hoor Emmy,' zei Sarah met die zwakke stem. 'Hindert niet. Je hoeft je niet schuldig te voelen. Pookie komt zo.'

Sarahs oog was niet beschadigd – haar wijdopen donkerbruine ogen bleven de overheersende gelaatstrek in een gezicht dat mooi zou worden – maar tijdens de rest van haar leven slingerde zich, als een aarzelde pennenstreek, van haar wenkbrauw tot op het ooglid een fijn blauwwit littekentje, en Emily kon er nooit naar kijken zonder zich te herinneren hoe goed haar zusje toen tegen pijn kon. Het herinnerde haar ook, telkens weer, aan haar eigen vatbaarheid voor paniek en haar raadselachtige angst voor alleen zijn.

Hoofdstuk 2

Van Sarah hoorde Emily voor het eerst over seks. Ze aten een si-naasappelijslolly en speelden zo'n beetje met een kapotte hangmat in de achtertuin van hun huis in Larchmont, New York – dat was een van de andere voorsteden waar ze na Tenafly woonden – en terwijl Emily luisterde vulde haar hoofd zich met verwarde en ver-ontrustende beelden.

'Je bedoelt dat ze het ín je stoppen?'

'Jep. Helemaal. En het doet pijn.'

'En als hij nou niet past?'

'O, hij past. Daar zorgen ze wel voor.'

'En wat dan?'

'Dan krijg je een baby. Daarom doe je het ook pas als je ge-trouwd bent. Hoewel, weet je nog Elaine Simko in de achtste klas? Die deed het met een jongen en toen kreeg ze opeens een kind en daarom moest ze dus van school af. Niemand weet zelfs maar waar ze is.'

'Weet je dat zeker? Elaine Simko?'

'Absoluut.'

'Maar, waarom zou ze zoiets willen doen?'

'Die jongen heeft haar verleid.'

'Wat is dat, verleiden?'

Sarah zoog lang en langzaam aan haar ijslolly. 'Dat begrijp jij nog niet, daar ben je te klein voor.'

'Nietwaar. Maar je zei dat het pijn doet, Sarah. Als het pijn doet, waarom zou ze het dan...'

'Nou ja, het doet pijn, maar het voelt toch ook lekker. Weet je, soms, als je in bad zit, of misschien als je daar beneden zo'n beetje heen en weer wrijft met je hand, dan voelt dat...'

'O.' En Emily sloeg vol gêne haar ogen neer. 'Ik begrijp het.'

Ze zei vaak 'ik begrijp het' als ze iets niet helemaal begreep – en dat deed Sarah trouwens ook. Zo begrepen ze geen van beiden waarom hun moeder het nodig vond zo vaak te verhuizen – ze kregen net ergens vriendjes en vriendinnetjes en dan verhuisden ze weer ergens anders naartoe – maar ze trokken die noodzaak nooit in twijfel.

Pookie was in veel opzichten raadselachtig. 'Ik vertel mijn kinderen alles,' schepte ze trots tegen andere volwassenen op; 'we hebben in ons gezin geen geheimen' – en ging dan in één adem zachter praten om iets te zeggen dat de meisjes niet mochten horen.

Overeenkomstig de voorwaarden in de scheidingsakte kwam Walter Grimes de meisjes twee of drie keer per jaar in het huis dat ze dan huurden bezoeken, en soms bleef hij 's nachts op de bank in de woonkamer slapen. Het jaar dat Emily tien werd lag ze op Kerstavond lang wakker, ze luisterde naar het ongewone geluid van de stemmen van haar ouders beneden – ze praatten en praatten maar door – en omdat ze absoluut wilde weten wat daar gebeurde, gedroeg ze zich als een klein kind: ze riep om haar moeder.

'Wat is er, lieverd?' Pookie deed het licht aan en boog zich over haar heen, ze rook naar gin.

'Ik heb last van mijn maag.'

'Wil je zuiveringszout?'

'Nee.'

'Wat wil je dan?'

'Ik weet niet.'

'Je stelt je gewoon aan. Kom, ik zal je instoppen en dan denk je aan alle leuke dingen die je voor Kerst gekregen hebt en ga je slapen. En je mag me niet meer roepen; beloofd?'

'Oké.'

'Want pappa en ik hebben een heel belangrijk gesprek. We hebben het over een heleboel dingen die we al heel, heel lang geleden hadden moeten bepraten en we komen tot een nieuw... een nieuw wederzijds begrip.'

Ze gaf Emily een vochtige kus, draaide het licht uit en haastte zich weer naar beneden, waar het praten almaar doorging, en Emily bleef in een warme opwelling van geluk op de slaap wachten. Tot een nieuw wederzijds begrip komen! Het was iets dat een gescheiden moeder in de film zou kunnen zeggen, vlak voor de orkestmuziek aanzwelt en het beeld vervaagt.

Maar de volgende ochtend pakte net zo uit als alle andere laatste ochtenden van zijn bezoeken: hij zat stilletjes en beleefd als een vreemde aan het ontbijt en Pookie vermeed zijn blik; daarna belde hij een taxi om hem naar de trein te brengen. Emily dacht eerst dat hij misschien in de stad zijn spullen was gaan halen, maar die hoop vervloog in de dagen en week erna. Ze kon nooit de woorden vinden om haar moeder ernaar te vragen en tegen Sarah zei ze er niets over.

De meisjes hadden allebei wat tandartsen een overbeet en kinderen konijnentanden noemen, maar bij Sarah was het 't ergst: toen ze veertien was kon ze ternauwernood nog haar lippen op elkaar krijgen. Walter Grimes ging ermee akkoord dat hij haar gebitsregulatie zou betalen en dat hield in dat Sarah eens per week met de trein naar New York ging om de middag bij hem te zijn en haar beugels te laten bijstellen. Emily was jaloers, zowel op de gebitsregulering als op de bezoeken aan de stad, maar Pookie legde uit dat ze zo'n behandeling voor allebei de meisjes tegelijk niet konden betalen; haar beurt kwam later, als ze ouder was.

Intussen waren Sarahs beugels afschuwelijke dingen: er bleven afzichtelijke witte etenssliertjes aan hangen en iemand op school noemde haar een wandelende ijzerwinkel. Het was toch onvoorstelbaar dat iemand zo'n mond zou kussen? En nu ze het er toch over had, het was toch onvoorstelbaar dat iemand het zou uithouden om een tijdje vlak bij haar líchaam te zijn? Sarah waste altijd heel zorgvuldig haar truien om de geverfde kleur in de oksels fris te kunnen houden, maar het werkte niet: een marineblauwe trui werd onder haar armen hemelsblauw en een rode werd geelachtig roze. Haar sterke zweet leek, evenzeer als haar beugel, een bezoeking.

De zoveelste bezoeking, nu voor allebei de meisjes, kwam met Pookies mededeling dat ze in een beeldschoon plaatsje dat Bradley heette een beeldschoon huis had gevonden en dat ze in de herfst zouden verhuizen. Ze konden haast niet meer bijhouden hoe vaak ze al verhuisd waren.

'Het viel zeker best mee?' vroeg Pookie na hun eerste schooldag in Bradley. 'Vertel eens hoe het was.'

Emily had een dag zwijgende vijandigheid over zich heen laten gaan – een van de maar twee nieuwe meisjes in de hele zesde klas – en zei dat ze, nou ja, dacht dat het wel ging. Maar Sarah, die in de eerste klas van de middelbare school zat, liep over van enthousiasme hoe leuk het was geweest.

'Ze hielden een speciale bijeenkomst voor alle nieuwe meisjes,' zei ze, 'en iemand speelde piano en toen stonden alle oudere meisjes op en zongen een liedje. Hoor maar:

Dag, nieuwe meisjes, hoe gaat het ermee?
Als ik iets doen kan, dan vraag je 't, oké?
Het doet ons plezier dat jullie er zijn
Want nieuwe gezichten zien vinden wij fijn
Dag, nieuwe meisjes, hoe gaat het ermee?

'Tjee!' zei Pookie blij. 'Wat aardig van ze.'

Maar Emily kon alleen huiverend van walging haar gezicht afwenden. Het was dan misschien 'aardig' geweest, maar het was geniepig; zíj kende het geniep dat in een lied als dit besloten lag.

De lagere school en de middelbare school zaten in hetzelfde grote gebouw, hetgeen betekende dat Emily zo nu en dan, als ze geluk had, overdag een glimp van haar zusje kon opvangen; het betekende bovendien dat ze elke middag samen naar huis konden lopen. De afspraak was dat ze elkaar na schooltijd in Emily's klaslokaal zouden treffen.

Maar op een vrijdag gedurende het American-footballseizoen zat Emily al een hele tijd in het lege klaslokaal te wachten, en taal noch teken van Sarah, tot haar maag van benauwdheid begon samen te knijpen. Toen Sarah eindelijk kwam had ze iets raars over zich – ze had een raar soort glimlach – en achter haar treuzelde een fronsende jongen.

'Emmy, dit is Harold Schneider,' zei ze.

'Hi.' Hij was groot en gespierd en had pukkels in zijn gezicht.

'We gaan naar de wedstrijd in Armonk,' legde Sarah uit. 'Zeg maar tegen Pookie dat ik voor het eten thuis ben, oké? Je vindt het toch niet erg om alleen naar huis te lopen?'

Het probleem was dat Pookie die ochtend naar New York was gegaan nadat ze eerst, bij het ontbijt, nog gezegd had: 'Ik dénk dat ik eerder thuis ben dan jullie, maar ik kan het beter niet beloven.' Dus zou ze niet alleen in haar eentje naar huis moeten lopen, maar zich ook in haar eentje met de sleutel moeten binnenlaten in een leeg huis en onder het wachten naar het naakte meubilair en de tikkende klok staren. En als haar moeder dan eindelijk een keer thuiskwam – 'Waar is Sarah?' – hoe moest ze dan in 's hemelsnaam vertellen dat Sarah er met een jongen die Harold heette vandoor was naar een plaats die Armonk heette? Geen sprake van dat ze zoiets deed.

'Hoe kom je daar?' informeerde ze.

'Met Harolds auto. Hij is zeventien.'

'Dat vindt Pookie nooit goed, Sarah. En dat weet je volgens mij best. Je kunt beter mee naar huis gaan.'

Sarah keek hulpeloos naar Harold, wiens grote gezicht nu tot een bijna-glimlach van ongeloof was verkrampt alsof hij zeggen wilde dat hij van zijn leven nog niet zo'n rotkind had gezien.

'Emmy, doe niet zo...' smeekte Sarah met iets bibberigs in haar stem waaruit bleek dat ze de discussie ging verliezen.

'Doe niet zo wat? Ik zeg alleen wat je al weet.'

En ten slotte won Emily. Harold Schneider liep sloom en hoofdschuddend weg door de gang (hij zou best een ander meisje kunnen vinden voor de wedstrijd begon) en de zusjes Grimes liepen samen – of liever gezegd achter elkaar – naar huis, Emily voorop.

'Val dood, val dood, val dood,' zei Sarah achter haar op het trottoir. 'Ik kan je wel vermóórden, dat je...' en ze rende drie stappen en trapte haar kleine zusje keihard tegen een bil, zodat Emily op haar handen viel en al haar schoolboeken liet vallen en de ringband openging en de losse bladzijden alle kanten op vielen. '...Ik kan je wel vermóórden, dat je alles bedorven hebt.'

Ironisch genoeg bleek Pookie al thuis toen zij kwamen. 'Wat is er?' vroeg ze, en toen Sarah haar huilend het hele verhaal verteld had – het was een van de heel weinige keren dat Emily haar ooit had zien huilen – werd duidelijk dat alle fouten van die middag aan Emily te wijten waren.

'En gingen er veel mensen naar die wedstrijd, Sarah?' informeerde Pookie.

'O ja. Alle kinderen uit de hoogste klas en íedereen...'

Pookie keek minder verward dan meestal. 'Emily,' zei ze streng. 'Dat was erg onaardig van je, wat je daar gedaan hebt. Begrijp je wel? Dat was erg onaardig.'

Soms was het niet zo vervelend in Bradley. Die winter kreeg Emily een paar vriendjes en vriendinnetjes met wie ze na schooltijd speelde, zodat ze zich minder zorgen maakte of Pookie thuis zou zijn of niet; en diezelfde winter ging Harold Schneider voor het eerst zo nu en dan met Sarah naar de film.

'Heeft hij je al gekust?' informeerde Emily na hun derde of vierde afspraakje.

'Gaat je niet aan.'

'Kom op, Sarah.'

'Goed dan. Ja. Hij heeft me gekust.'

'Hoe voelt dat?'

'Ongeveer zoals je zou denken.'

'O.' En Emily wilde vragen Vindt hij die beugel niet akelig? maar bedacht zich. In plaats ervan vroeg ze 'Wat zie je eigenlijk in hem?'

'Eh, hij is... heel aardig,' zei Sarah, en ze ging verder met het wassen van haar trui.

Na Bradley kwam nog een voorstad, en daarna nog eentje; in de laatste deed Sarah eindexamen van de middelbare school zonder dat ze speciale plannen had om te gaan studeren, hetgeen haar ouders zich trouwens toch niet hadden kunnen veroorloven. Haar tanden stonden nu recht en de beugel was eraf; ze leek helemaal nooit te zweten en ze had een beeldschoon figuur met volle borsten waarvoor mannen zich op straat omdraaiden en dat Emily een wee makend gevoel van jaloezie bezorgde. Emily had zelf nog steeds een beetje vooruitstekende tanden die nooit gecorrigeerd zouden worden (haar moeder was haar belofte vergeten); ze was lang en mager en had kleine borsten. 'Je hebt iets elegant veulenachtigs, lieverd,' verzekerde haar moeder haar. 'Je wordt héél aantrekkelijk.'

In 1940 verhuisden ze weer naar de stad en het huis dat Pookie voor hen vond was niet gewoon maar een etage: het was een ooit voornaam, sjofel oud appartement over de hele diepte van een gebouw aan de zuidkant van Washington Square, met grote ramen die uitkeken op het park. Het kostte meer dan Pookie zich kon veroorloven, maar ze beknibbelde op andere uitgaven; ze kochten geen nieuwe kleren en aten erg veel spaghetti. De kranen in de keuken en de badkamer waren roestig en ouderwets, maar de plafonds waren ongewoon hoog en alle bezoekers zeiden altijd weer dat het absoluut 'karakter' had. Het lag op de begane grond, hetgeen inhield dat passagiers in dubbeldeksbussen met bestemming Fifth Avenue die op weg naar de chiquere woonwijken om het park reden, naar binnen konden gluren – en dat leek voor Pookie verbonden met een zekere mate van flair.

Wendell L. Wilkie was dat jaar de Republikeinse presidentskandidaat en Pookie stuurde de meisjes als vrijwilligster naar het nationale hoofdkantoor van iets dat de Associated Wilkie Clubs van Amerika heette in de buurt van Central Park. Ze dacht dat het Emily, die iets om handen moest hebben, goed zou doen; en belangrijker, ze dacht dat het Sarah in de gelegenheid zou stellen om 'mensen te leren kennen', met wie ze geschikte jongemannen bedoelde. Sarah was negentien en geen van de jongens die ze tot dusver aardig had gevonden, te beginnen bij Harold Schneider, had op haar moeder ook maar een beetje een geschikte indruk gemaakt.

Sarah leerde op de Wilkie Clubs inderdaad mensen kennen; nog geen paar weken later kwam ze thuis met een jongeman die Donald Clellon heette. Hij was bleek en heel beleefd en kleedde zich zo netjes dat zijn kleren het eerste waren dat je aan hem opviel: een pak met een krijtstreepje, een overjas met een fluwelen kraag, een zwarte bolhoed. De bolhoed was een beetje eigenaardig – ze waren al jaren uit de mode – maar hij droeg hem met zo'n air van gezag dat je eruit zou opmaken dat de bolhoedenmode misschien weer terugkwam. En hij praatte met dezelfde overdreven, bijna pietluttige precisie als hij zich kleedde: hij zei nooit 'zoiets' maar altijd 'iets van dien aard'.

'Wat zie je eigenlijk in hem?' vroeg Emily.

'Hij is heel volwassen en heel voorkomend,' zei Sarah. 'En hij is heel... ik weet het niet, ik vind hem gewoon aardig.' Ze zweeg even en sloeg als een filmster in close-up haar ogen neer. 'Ik denk dat ik misschien verliefd op hem ben.'

Ook Pookie vond hem, aanvankelijk, heel aardig – zo'n hoffelijke huwelijkskandidaat was toch enig voor Sarah – en toen ze plechtig haar toestemming vroegen om zich te verloven huilde ze een beetje maar maakte geen bezwaar.

Het was Walter Grimes, die de verloving als een voldongen feit kreeg voorgeschoteld, die alle vragen stelde. Wie was deze Donald Clellon precies? Als hij zevenentwintig was, zoals hij beweerde, als wat of in welke bedrijfstak had hij dan in de periode vóór de Wilkie-campagne gewerkt? Als hij zo beschaafd en ontwikkeld was als je uit zijn manier van doen zou opmaken, waar had hij dan gestudeerd? En nu we het er toch over hadden, waar kwam hij vandaan?

'Waarom heb je hem dat niet gewoon gevraagd, Walter?'

'Ik wilde het joch niet tijdens een lunch, met Sarah erbij, aan een kruisverhoor onderwerpen; ik dacht dat jij het allemaal wel zou weten.'

'O.'

'Je bedoelt dat jij hem ook nooit iets gevraagd hebt?'

'Nou ja, hij leek altijd zo... nee; ik heb niets gevraagd.'

Er volgde een aantal zenuwachtige gesprekken, meestal als Pookie 's avonds laat op hen was blijven wachten, terwijl Emily vlak achter de deur van de woonkamer stond te luisteren.

'...Donald, er is iets dat ik nooit helemaal begrepen heb. Waar kom je precies vandaan?'

'Dat heb ik u verteld, mevrouw Grimes. Ik ben hier in Garden City geboren maar mijn ouders verhuisden nogal van de ene plaats naar de andere. Ik ben grotendeels in het Midwesten opgegroeid. Verschillende delen van het Midwesten. Toen mijn vader gestorven was is mijn moeder naar Topeka in Kansas verhuisd; daar probeert ze zich nu thuis te voelen.'

'En waar heb je gestudeerd?'

'Ik dacht dat ik ook dat verteld had, de eerste keer al. Ik heb eigenlijk niet echt gestudeerd; dat konden we ons niet veroorloven. Ik had het geluk dat ik bij een advocatenkantoor in Topeka kon gaan werken; toen Wendell Wilkie presidentskandidaat geworden was, heb ik daar voor de Wilkie Club gewerkt tot ze me hierheen overplaatsten.'

'O. Juist ja.'

En dat leek genoeg voor een avond, maar er volgden nog andere.

'...Donald, als je maar drie jaar op dat advocatenkantoor gewerkt hebt en je kwam daar meteen vanaf school, hoe kun je dan...'

'O, maar ik ben daar niet meteen vanaf school gaan werken. Ik heb eerst een aantal andere banen gehad. In de bouw, zwaar werk als arbeider, dat soort dingen. Alles wat ik krijgen kon. Ik moest mijn moeder onderhouden, begrijpt u wel.'

'Juist ja.'

Ten slotte, toen Wilkie de verkiezingen verloren had en Donald een vaag baantje had bij een makelaardij in de stad, sprak hij zichzelf zo vaak tegen, dat het wel duidelijk werd dat hij geen zevenentwintig was; hij was éénentwintig. Hij had zich altijd ouder gevoeld dan zijn leeftijdgenoten en daarom legde hij er al een tijdje een aantal jaren bovenop; iedereen bij de Wilkie Clubs had gedacht dat hij zevenentwintig was en toen hij Sarah leerde kennen had hij automatisch 'zevenentwintig' gezegd. Mevrouw Grimes had toch wel begrip voor een dergelijke *faux pas*? Sarah had daar toch wel begrip voor?

'Ja maar, Donald,' zei Pookie, terwijl Emily zich inspande om elke nuancering in hun stemmen te horen, 'als je daarover niet de waarheid verteld hebt, hoe kunnen we je dan op andere punten wel vertrouwen?'

'Hoe u me vertrouwen kunt? U weet dat ik van Sarah houd; u weet dat ik een goede toekomst in de makelaardij heb...'

'Hoe moeten wij dat weten? Nee, Donald, hier hebben we niets aan. Hier hebben we helemaal niets aan...'

Toen de stemmen zwegen, waagde Emily het erop vlug even in de woonkamer te kijken. Pookie keek alsof ze met recht boos was en Sarah keek verslagen; Donald Clellon zat in z'n eentje met zijn hoofd in zijn handen. Rond de kruin van zijn keurig gekamde brillantinehaar liep een randje dat aangaf waar zo-even nog zijn bolhoed stond.

Sarah bracht hem niet meer mee naar huis, maar ze bleef wel een paar keer per week met hem uitgaan. De heldinnen in alle films die ze ooit had gezien lieten geen twijfel dat dit het enige was dat erop zat; en trouwens, hoe moest dat met al die mensen aan wie ze hem als 'mijn verloofde' had voorgesteld?

'...Een leugenaar is hij!' schreeuwde Pookie dan. 'Een kind! We weten niet eens wát hij is!'

'Dat zal me een zórg zijn,' schreeuwde Sarah dan terug. 'Ik hou van hem en ik ga met hem trouwen!'

En dan kon Pookie alleen nog met haar handen wapperen en huilen. Meestal eindigden de ruzies ermee dat ze allebei apart ergens in het muffe, elegante oude appartement neerzegen en in tranen uitbarstten terwijl Emily luisterde en op haar vingerknokkels zoog.

Maar met de komst van het nieuwe jaar werd alles anders: er kwamen mensen boven hen wonen die Pookie al meteen interessant vond. Ze heetten Wilson, een stel van middelbare leeftijd met een volwassen zoon, en het waren oorlogsvluchtelingen uit Engeland. Ze hadden de Duitse bombardementen op Londen meegemaakt (Geoffrey Wilson was te gereserveerd om er veel over te zeggen, maar zijn vrouw Edna kon er afschuwelijke verhalen over vertellen) en ze waren met alleen de kleren aan hun lijf en wat ze in hun koffers mee konden nemen uit Engeland gevlucht. Dat was aanvankelijk alles wat Pookie van hen wist, maar ze zorgde ervoor vaak in de buurt van de brievenbussen rond te hangen in de hoop weer een gesprek te kunnen beginnen, en het duurde niet lang of ze wist meer.

'Het zijn eigenlijk helemaal geen Engelsen,' zei ze tegen haar dochters. 'Je zou het aan hun accent niet zeggen, maar het zijn Amerikanen. Hij komt uit New York – hij stamt uit een oude New Yorkse familie – en zij is een Tate uit Boston. Ze zijn jaren en jaren geleden vanwege zijn werk naar Engeland gegaan – hij was de Britse vertegenwoordiger van een Amerikaanse firma – en Tony is daar geboren en op een Engelse *public school* geweest. Zo noemen de Engelsen een kostschool, moet je weten. Ik wist wel dat hij op een Engelse kostschool gezeten had want hij heeft zo'n verrukkelijke manier van uitdrukken – hij zegt "Te gek, zeg" en "Jandome" en dat soort dingen. Hoe dan ook, het zijn enige mensen. Heb jij al met ze gepraat, Sarah? En jij, Emmy? Ik weet zeker dat jullie ze ontzettend leuk zouden vinden. Ze zijn zo – ik weet het niet, zo heerlijk Bríts.'

Sarah luisterde heel geduldig, maar ze was niet geïnteresseerd. De spanningen van haar verloving met Donald Clellon werden nu merkbaar: ze zag erg bleek en ze was magerder geworden. Ze had via mensen van de Wilkie-campagne voor een symbolisch salaris werk gevonden op het kantoor van United China Relief; ze heette er Voorzitster van het Debutantencomité, een titel die Pookie met genoegen hardop zei, en haar werk was het toezicht houden op de rijke meisjes die als vrijwillige collectanten op Fifth Avenue kleingeld inzamelden ter ondersteuning van de Chinese massa's bij hun oorlog tegen de Japanners. Het was geen zwaar werk maar ze kwam elke avond uitgeput thuis, soms zelfs te moe om met Donald uit te gaan, en verzonk een groot deel van de tijd in een broeierig stilzwijgen waarin Pookie of Emily niet kon doordringen.

En toen gebeurde het. Op een ochtend kwam de jonge Tony Wilson haastig en terwijl zijn fraaie Engelse schoenen nauwelijks het loopvlak van elke kromgetrokken trede raakten de trap af, toen Sarah de hal in liep en ze bijna in botsing kwamen.

'Neem me niet kwalijk,' zei ze.

'Neem míj niet kwalijk. U bent Sarah Grimes?'

'Ja, en u bent...'

'Tony Wilson; ik woon hierboven.'

Hun gesprek kon nauwelijks meer dan drie of vier minuten geduurd hebben toen hij weer 'Neem me niet kwalijk' zei en het pand verliet, maar het voldeed om Sarah slaapwandelend terug te sturen naar het appartement terwijl ze zich er niets van aantrok dat ze te laat op haar werk zou komen. De debutanten en de Chinese massa's konden wachten. 'Emmy, heb je die jóngen gezien?'

'Ik kom hem wel eens toevallig in de hal tegen.'

'Vind je hem niet gewéldig? Hij is zo ongeveer de... de mooiste man die je je...'

Pookie kwam de woonkamer in, haar ogen wijd open en haar vage mond glinsterend van het spekvet van het ontbijt. 'Wie?' vroeg ze. 'Tony, bedoel je? Hé, wat leuk; ik wist wel dat je hem aardig zou vinden, lieverd.'

Sarah moest in een van hun aftandse leunstoelen gaan zitten om op adem te komen. 'Ooh, Pookie,' zei ze. 'Hij ziet er... hij ziet er net uit als Laurence Olivier.'

Het was waar, hoewel het nog niet eerder in Emily was opgekomen. Tony Wilson was niet groot en niet klein, met brede schouders en goed gebouwd; zijn golvende bruine haar was achteloos over zijn voorhoofd en om zijn oren gekamd; zijn mond had iets humoristisch, met volle lippen, en zijn ogen leken altijd te lachen om een subtiel binnenpretje dat hij je misschien zou vertellen als je hem beter leerde kennen. Hij was drieëntwintig.

Een paar dagen erna klopte hij aan om te vragen of hij Sarah mocht uitnodigen binnenkort een keer 's avond met hem te gaan eten, en dat was het einde van David Clellon.

Tony had niet veel geld – 'Ik ben arbeider,' zei hij, hetgeen zeggen wilde dat hij bij een grote fabriek van marinevliegtuigen op Long Island werkte en daar hoogstwaarschijnlijk iets belangrijks deed dat strikt geheim was – maar hij had een Oldsmobile convertible van 1929 en chauffeerde met flair. Hij reed met Sarah naar uithoeken van Long Island of Connecticut of New Jersey, en daar aten ze dan in wat Sarah altijd een 'verrukkelijk restaurantje' noemde en waren altijd op tijd terug om iets te gaan drinken in een 'verrukkelijk barretje' dat Anatole heette, dat Tony op de Upper East Side had ontdekt.

'Dit is wel een heel ander soort kerel,' zei Walter Grimes aan de telefoon. 'Ik mag hem; het is zo iemand die je vanzelf aardig vindt...'

'Onze kinderen lijken het goed met elkaar te kunnen vinden, mevrouw Grimes,' zei Geoffrey Wilson op een middag, terwijl zijn vrouw naast hem glimlachte. 'Misschien moeten wij ook maar eens nader kennismaken.'

Emily had haar moeder al vaak met mannen zien flirten, maar nog nooit zo openlijk als nu met Geoffrey Wilson. 'O, wat énig!' gilde ze bij elke opmerking die maar een beetje geestig was en smolt dan weg in een schaterende keellach waarbij ze koket haar middelvinger tegen haar bovenlip drukte zodat je niet zou zien dat haar tandvlees terugtrok en ze een slecht gebit kreeg.

En Emily vond de man echt wel grappig – niet zozeer door wat hij zei, besloot ze, als door de manier waarop – maar Pookies enthousiasme maakte haar verlegen. Bovendien was Geoffrey Wilsons humor een beetje te afhankelijk van de eigenaardige manier waarop hij die bracht, met een zwaar Engels accent dat door een spraakgebrek verergerd leek: hij praatte alsof hij een biljartbal in zijn mond had. Zijn vrouw Edna was aardig en mollig en dronk een hoop sherry.

Emily mocht er op haar moeders middagen en avonden met de Wilsons altijd bij zijn – dan knabbelde ze stilletjes op zoute crackers terwijl zij praatten en lachten – maar ze was veel liever met Sarah en Tony meegereden in die schitterende oude auto terwijl haar haren in de wind bekoorlijk wapperden, was met hen over een verlaten strand gewandeld om midden in de nacht terug te komen naar Manhattan en aan hun speciale tafeltje bij Anatole te zitten terwijl de pianist hun liedje speelde.

'Hebben Tony en jij een liedje?' vroeg ze Sarah.

'Een liedje?' Sarah lakte net haar nagels, en ze had haast want Tony zou haar over een kwartier komen afhalen. 'Tony hoort graag *Bewitched, Bothered and Bewildered*, maar ik hoor eigenlijk wel graag *All the Things You Are*.'

'O,' zei Emily, ze had nu muziek om haar fantasieën te begeleiden. 'Ja, dat zijn alletwee goede nummers.'

'En weet je wat we doen?'

'Wat dan?'

'Bij het eerste glas haken we onze armen zo'n beetje om elkaar heen – zo, ik zal het je voordoen. Voorzichtig voor mijn nagels.' En ze schoof haar pols door Emily's ellebogholte en bracht een denkbeeldig glas naar haar lippen. 'Zo dus. Leuk hè?'

Dat was het inderdaad. Alles aan Sarahs romance met Tony was bijna onverdraaglijk leuk.

'Sarah?'

'Mm?'

'Als hij dat vroeg, zou je dan alles met hem doen?'

'Je bedoelt voor we getrouwd zijn? Toe nou, Emily, doe niet zo idioot.'

Dus was het niet zo'n echte romance als sommige waarover ze gelezen had, maar het was niettemin heel, heel leuk. Die avond bleef Emily heel lang in bad liggen stomen en toen ze eruit was en zich had afgedroogd terwijl het badwater intussen langzaam wegliep, bleef ze naakt voor de spiegel staan. Omdat haar borsten zo minnetjes waren, concentreerde ze zich op de schoonheid van haar schouders en hals. Ze tuitte haar lippen en deed ze een heel klein beetje uit elkaar, zoals meisjes op de film als ze op het punt stonden gekust te worden.

'O, wat ben je mooi,' zei het droombeeld van een jongeman met een Engels accent net buiten bereik van de camera. 'Ik wil dit al dagen, al weken zeggen en kan het nu niet meer voor me houden: ik hou eigenlijk van jou, Emily.'

'Ik hou ook van jou, Tony,' fluisterde ze, en haar tepels werden hard en gingen vanzelf rechtop staan. Ergens op de achtergrond speelde een orkestje *All the Things You Are*.'

'Ik wil je omarmen. O, laat me je omarmen en je nooit meer loslaten.'

'O,' fluisterde ze. 'O, Tony.'

'Ik kan niet zonder je, Emily. 'Wil je... wil je alles met me doen?'

'Ja. O, ja, Tony, alles, alles...'

'Emmy?' riep haar moeder van achter de gesloten deur. 'Je bent nu al een uur in die badkamer. Wat voer je daar toch uit?'

Rond Pasen leenden Sarahs bazen haar een kostbare jurk van zware zijde, een kopie van het soort kleren dat voor de oorlog aristocratische Chinese dames droegen, zei men, en een fijn gevlochten strohoed met brede rand. Ze had opdracht zich tussen de mondaine mensenmassa op Fifth Avenue bij Central Park te begeven en zich door een fotograaf van een pr-bureau te laten fotograferen.

'Je ziet er magnifiek uit, lieverd,' zei Pookie op de ochtend van Pasen. 'Ik heb je nog nooit zo beeldschoon gezien.'

Maar Sarah fronste enkel haar wenkbrauwen, hetgeen haar des te beeldschoner maakte.

'Wat kan mij die achterlijke paasparade schelen,' zei ze. 'Tony en ik waren van plan vandaag naar Amagansett te rijden.'

'Toe, alsjeblieft,' zei Pookie. 'Het duurt maar een uur of twee; Tony vindt het vast niet erg.'

Toen kwam Tony binnen en zei: Verdomd, zeg. Te gek.' En nadat hij Sarah langdurig had bekeken, zei hij: 'Moet je horen; ik heb een idee. Kun je vijf minuten wachten?'

Ze hoorden hem zo hard naar boven stormen dat het oude huis ervan leek te schudden en toen hij terugkwam droeg hij een Engelse smoking, compleet met brede plastron, een lichtgrijs vest en gestreepte broek.

'O, Tony,' zei Sarah.

'Hij moet dringend geperst,' zei hij, terwijl hij ronddraaide om zich door hen te laten bewonderen en met een snel gebaar zijn manchetten onder zijn mouwen uit stak, 'en er zou eigenlijk een grijze hoge hoed bij moeten, maar ik geloof dat het zo wel gaat. Klaar?'

Emily en Pookie keken uit het raam hoe de open auto op weg naar Fifth Avenue langsreed – Tony wendde even zijn blik van het stuur af om naar hen te glimlachen terwijl Sarah met één hand haar hoed op zijn plaats hield en met de andere zwaaide – en toen waren ze weg.

De pr-fotograaf deed zijn werk goed, evenals de redacteurs van het rotogravure katern van *The New York Times*. De foto stond de volgende zondag op een pagina met andere, minder opvallende foto's. De camera had Sarah en Tony betrapt terwijl ze als de idylle zelf in de aprilzon naar elkaar glimlachten en achter hen nog net een bomengroep en een hoge hoek van het Plaza Hotel te zien waren.

'Ik kan van kantoor gesatineerde afdrukken van twintig bij vijfentwintig centimeter krijgen,' zei Sarah.

'Schitterend,' zei Pookie. 'Neem er zoveel je krijgen kunt. En we halen ook nog extra kranten. Emmy? Pak geld uit mijn portemonnee. Ren naar de kiosk en haal nog vier kranten. Nee, zes.'

'Zo veel kan ik er niet dragen.'

'Natuurlijk wel.'

En Emily kon nijdig zijn of niet toen ze de deur uit ging, maar ze wist hoe belangrijk het was om zo veel mogelijk van die kranten te pakken te krijgen. Het was een foto die je kon opplakken en inlijsten en tot in lengte van dagen als een schat bewaren.

Hoofdstuk 3

Ze trouwden in de herfst van 1941, in een anglicaans kerkje dat Pookie had uitgezocht. Emily vond de trouwerij best leuk, alleen vestigde de jurk die ze in haar rol van bruidsmeisje moest dragen op de een of andere manier alle aandacht op haar kleine borsten en bovendien zat haar moeder de hele plechtigheid te huilen. Pookie had aan haar eigen jurk en dure hoedje, allebei in een nieuwe kleur die *shocking pink* heette, een hoop geld uitgegeven en ze onthaalde dagenlang iedereen die het horen wilde op hetzelfde slappe grapje. 'Zou dat geen prachtig krantenbericht zijn?' vroeg ze dan telkens weer, met haar middelvinger tegen haar bovenlip gedrukt. 'De moeder van de bruid was shocking in pink!' En op de receptie dronk ze te veel, en toen het zover was dat ze met Geoffrey Wilson moest dansen knipperde ze met haar wimpers en liet zich zo dromerig in zijn armen zakken alsof hij en niet zijn zoon op Laurence Olivier leek. Hij geneerde zich zichtbaar en probeerde zijn handen wat losser op haar rug te houden, maar ze klampte zich als een slak aan hem vast.

Walter Grimes bleef tijdens het feestje erg op zichzelf; hij stond met zijn handen om zijn glas scotch geslagen, voortdurend bereid tegen Sarah te glimlachen als zij tegen hem glimlachte.

Sarah en Tony gingen een week naar Cape Cod, en intussen lag Emily zich zorgen over hen te maken. (Stel dat Sarah te zenuwachtig was om het meteen goed te doen? En als het niet meteen goed ging, waar moest je dan in 's hemelsnaam over praten terwijl je wachtte voor je het nog een keer probeerde? En als het een kwestie van steeds weer proberen werd, zou dat dan niet alles bederven?) Daarna gingen ze in wat Pookie een 'afschuwelijk flatje' noemde, in de buurt van Magnum Aircraft wonen.

'Maar dat is maar tijdelijk,' zei ze aan de telefoon tegen haar vrienden. 'Over een paar maanden verhuizen ze naar het landgoed van de Wilsons. Had ik je al over het landgoed van de Wilsons verteld?'

Geoffrey Wilson had van zijn vader ruim drie hectare land in het gehucht St. Charles geërfd, aan de noordkust van Long Island. Er stond een groot huis van veertien kamers (Pookie beschreef het altijd als een 'schitterend oud huis', hoewel ze het nog nooit gezien had); daar zouden Geoffrey en Edna gaan wonen zodra volgend jaar het contract met de huidige huurders afliep. En dan stond er nog een apart huisje op het landgoed dat perfect zou zijn voor Sarah en Tony; klonk dat niet als de ideale oplossing?

Pookie had het die hele winter zo vaak over het landgoed van de Wilsons dat het nauwelijks tot haar leek door te dringen dat Amerika sinds de Japanse aanval op Pearl Harbor in oorlog was, maar Emily was zich van bijna niets anders bewust. Tony was tenslotte Amerikaans burger; hij zou ongetwijfeld worden opgeroepen en opgeleid en ergens naartoe gestuurd om zich inclusief zijn knappe gezicht overhoop te laten schieten.

'Tony zegt dat we ons nergens zorgen over hoeven te maken,' verzekerde Sarah haar toen Emily en Pookie op een dag in het 'afschuwelijke flatje' op bezoek gingen. 'En áls hij onder dienst zou moeten, regelen de hoge bazen bij Magnum dat hij als tijdelijk marinepersoneel weer bij de fabriek te werk wordt gesteld, daar is hij vrijwel zeker van. Want Tony wérkt niet gewoon bij Magnum; hij is zo goed als ingenieur. Hij heeft in Engeland bijna drie jaar stage gelopen bij een ingenieursbureau – zo werkt dat daar, begrijp je, je loopt stage in plaats van dat je ergens gaat studeren – en die mensen bij Magnum beseffen dat. Hij is heel waardevol.'

Hij zag er niet erg waardevol uit toen hij die middag van de fabriek thuiskwam, zo in zijn groene werkkleding met op zijn hartstreek een naambordje geklemd, en met zijn blikken lunchdoos onder een arm, maar die uitrusting verhinderde hem niet de oude vertrouwde, elegante energie en charme uit te stralen. Misschien had Sarah gelijk.

'Zeg,' zei hij. 'Kan ik iets voor jullie inschenken?'

Sarah en hij gingen vlak naast elkaar op de bank zitten en werkten nauwgezet het Anatole-ritueel af waarbij ze hun armen verstrengelden voor het nemen van de eerste slok.

'Doen jullie dat altijd zo?' informeerde Emily.

'Altijd,' zei Sarah.

Dat voorjaar kreeg Emily een volledige studiebeurs voor Barnard College.

'Schitterend!' zei Pookie. 'O lieverd, ik ben zo trots op je. Moet je je eens indenken: straks ben je de eerste van onze familie met een universitaire studie!'

'Behalve pappa, bedoel je.'

'O. Eh, ja, dat zal wel; maar ik bedoelde ónze familie. Hoe dan ook, het is gewoonweg schitterend. Weet je wat? We bellen nu meteen Sarah om het haar te vertellen en dan tutten jij en ik ons op en gaan we het ergens vieren.'

Ze belden Sarah – ze zei dat ze het heel fijn vond – en toen zei Emily: 'Dan bel ik nu pappa, oké?'

'O. Ja, natuurlijk, dat is goed, als je dat wilt...'

'...Een volledige studiebeurs?' zei hij. 'Wow. Dan heb je zeker indruk op die mensen gemaakt...'

Ze sprak voor de volgende dag met hem af voor de lunch in een van de donkere kelderrestaurants in de buurt van City Hall waar hij graag kwam. Zij was er het eerst en bleef bij de garderobe wachten en toen hij de trap afkwam vond ze dat hij er verbazend oud uitzag, een man in een regenjas die niet helemaal schoon was.

'Dag, honnepon,' zei hij. 'Mijn God, wat word je groot! Graag een tafeltje voor twee, George.'

'Goed, meneer Grimes.'

En hij werkte dan misschien gewoon maar aan de redactietafel, maar de gerant kende hem bij naam. En de kelner kende hem ook – wist precies welke whisky hij moest brengen en voor hem neerzetten.

'Wat geweldig, dat van Barnard,' zei hij. 'Het is het beste nieuws dat ik in ik weet niet hoe lang gehoord heb.' Toen hoestte hij en zei: 'Neem me niet kwalijk.'

De whisky vrolijkte hem op – zijn ogen glansden en zijn lippen verstrakten op een prettige manier – en hij nam er nog eentje voor het eten kwam.

'Had jij een beurs voor Syracuse University?' vroeg ze. 'Of moest je je studie helemaal zelf betalen?'

Hij keek wat onzeker. '"Helemaal?" Ik heb die studie niet "helemaal" afgemaakt, honnepon. Ik heb maar een jaar in Syracuse gestudeerd, daarna ben ik hier bij het stadsblad komen werken.'

'O.'

'Je bedoelt dat je dacht dat ik afgestudeerd was? Hoe kom je op dat idee? Van je moeder?'

'Ja, dat zal wel.'

'Tja, je moeder heeft zo haar eigen manier om met de feiten om te gaan.'

Hij at zijn lunch niet helemaal op en toen de koffie kwam tuurde hij ernaar alsof hij ook die niet aanlokkelijk vond. 'Ik wou dat Sarah gestudeerd had,' zei hij. 'Het is natuurlijk mooi dat ze gelukkig getrouwd is en zo, maar toch. Een opleiding hebben is iets prachtigs.' Toen kreeg hij weer een hoestbui. Hij moest zich van de tafel afwenden en een zakdoek tegen zijn mond en neus houden en terwijl hij maar bleef hoesten verscheen op zijn slaap een gezwollen adertje. Toen het voorbij was, of bijna voorbij, pakte hij zijn glas water en nam een slok. Dat leek te helpen – hij kon een paar keer diep ademhalen – maar toen stokte zijn adem en hoestte hij weer.

'Je hebt een gemene kou,' zei ze terwijl hij zich herstelde.

'Het is maar gedeeltelijk die verkoudheid; het zijn vooral die verdomde sigaretten. Zal ik je eens iets zeggen? Over twintig jaar zijn sigaretten bij wet verboden. Dan moet je ze illegaal kopen, zoals wij vroeger tijdens de drooglegging drank kochten. Heb je al bedacht wat je als hoofdvak neemt?'

'Engels, denk ik.'

'Mooi zo. Dan ga je een hoop goede boeken lezen. Nou ja, je gaat er ook lezen die niet zo best zijn, maar je leert om onderscheid te maken. Voor je je met zoiets banaals als de eisen van de alledaagse realiteit hoeft bezig te houden, zul je vier hele jaren in de wereld van gedachten en ideeën leven – dat is het mooie van studeren. Wil je iets toe, konijntje?'

Toen ze die dag thuiskwam overwoog ze haar moeder met de waarheid over Syracuse te confronteren, maar ze zag ervan af. Ze kon Pookie toch niet veranderen, dat was onmogelijk.

Wat ze ook onmogelijk leek te kunnen veranderen was de manier waarop Pookie en zij sinds Sarah getrouwd was samen de avond doorbrachten. Zo nu en dan nodigden de Wilsons hen boven uit, of kwamen zij naar beneden; maar meestal zaten ze met z'n tweeën in de woonkamer een tijdschrift te lezen terwijl auto's en bussen op weg naar Fifth Avenue langs de ramen zoemden. Dan maakte een van beiden misschien een schaal *fudge*, meer als tijdverdrijf dan om een hevige trek te stillen, en zondags waren er goede programma's op de radio, maar meestal zaten ze te niksen alsof ze niets anders te doen hadden dan op het rinkelen van de telefoon wachten. En wat kon onwaarschijnlijker zijn dan dat? Wie zou een ouder wordende gescheiden vrouw met rotte tanden willen bellen, of een lelijk mager meisje dat de hele tijd lusteloos rondhing en medelijden met zichzelf had?

Op een avond bleef Emily een halfuur zitten kijken hoe haar moeder de bladzijden van een tijdschrift omsloeg. Daarbij veegde Pookie langzaam, afwezig, met haar duim over haar vochtige onderlip en streek vervolgens met diezelfde duim over de rechter benedenhoek van elke pagina om het omslaan te vergemakkelijken; als ze het uit had waren van alle bladzijden de hoeken gekreukt en vaag besmeurd met lippenstift. En vanavond had ze *fudge* gegeten, wat betekende dat er zowel *fudge*- als lippenstiftsporen op de bladzijden zouden zitten. Emily merkte dat ze er niet naar kon kijken zonder met haar tanden te knarsen. En ze kreeg er jeuk op haar hoofd van en het maakte dat ze wiebelde op haar stoel. Ze stond op.

'Ik denk dat ik maar naar de bioscoop ga,' zei ze. 'Er schijnt in het Eighth Street Playhouse een film te draaien die wel goed is.'

'O. Ja, dat is goed, als je dat graag wilt, lieverd.'

Ze ontsnapte naar de badkamer om haar haar te kammen en even later was ze weg van huis en liep Washington Square op terwijl ze diep de zachte lucht inademde en bescheiden maar oprecht trots was op de pasvorm en val van haar bijna nieuwe gele jurk. Het was kort na zonsondergang en de parkverlichting glansde in de bomen.

'Neemt u me niet kwalijk,' zei een lange soldaat die naast haar liep. 'Maar kunt u me misschien zeggen waar Nick's is? De jazzclub?'

En ze bleef verbijsterd staan. 'Eh, ik weet waar het is... ik bedoel ik ben er een paar keer geweest... maar het is eigenlijk best moeilijk uit te leggen hoe je er hiervandaan komt. Ik denk dat je het beste via Waverly Street naar Sixth Avenue kunt lopen, nee, Seventh Avenue, en daar dan links... ik bedoel rechts... en dan vier of vijf zijstraten verder... nee, wacht even; de snelste manier zou zijn om via Eighth Street naar Greenwich Avenue te lopen; dan kom je...'

En al die tijd dat ze daar stond te kletsen en met wuivende gebaren onnauwkeurige aanwijzingen gaf, keek hij geduldig glimlachend op haar neer. Het was een doodgewone jongen met vriendelijke ogen en hij zag er in zijn geelbruine zomeruniform keurig uit.

'Dank je,' zei hij toen ze uitgesproken was. 'Maar ik heb een beter idee. Heb je zin in een busritje naar Fifth Avenue?'

Het steile wenteltrapje van een open dubbeldekker opklimmen had haar nog niet eerder het begin van een riskant avontuur geleken en haar ook niet de gewaarwording gegeven dat haar hart klopte. Toen ze langs haar huis kwamen trok ze zich terug van de leuning en draaide haar gezicht af voor het geval Pookie toevallig naar buiten zou kijken.

Het was nog een geluk dat de soldaat het gesprek grotendeels voor zijn rekening nam. Hij heette Warren Maddock of Warren Maddox – ze moest hem straks maar vragen hoe het zat. Hij was op driedaags verlof uit Camp Croft, South Carolina, waar hij was opgeleid voor de infanterie, en zou binnenkort 'scheep gaan om te worden toegevoegd aan een divisie', wat dat ook betekenen mocht. Hij kwam uit een dorp in Wisconsin; hij was de oudste van vier broers en zijn vader had een dakdekkersbedrijf. Dit was zijn eerste bezoek aan New York.

'Woon je al je hele leven hier, Emily?'

'Nee, ik heb voornamelijk in de buitenwijken gewoond.'

'Ja ja. Lijkt me raar om hier je hele leven te wonen, nooit eens lekker buiten te kunnen rennen of zo. Ik bedoel, het is natuurlijk een geweldige stad hoor; maar je kunt volgens mij beter op het platteland opgroeien, bedoel ik. Zit je nog op school?'

'Nee. Ik ga in de herfst naar Barnard College.' Even later zei ze erbij: 'Ik heb een studiebeurs.'

'Een beurs! Hé, dan ben je vast heel slim. Dat wordt oppassen, met zo'n meisje als jij.' En met die woorden liet hij zijn hand van de houten rugleuning van de bank glijden en legde hem om haar schouder; zijn grote duim begon de huid bij haar sleutelbeen te masseren terwijl hij doorpraatte.

'Wat voor werk doet je vader?'

'Hij is journalist.'

'O ja? Is dat vóór ons het Empire State Building?'

'Ja.'

'Dacht ik al. 't Is gek, ik heb er foto's van gezien, maar daarvan krijg je niet echt een indruk hoe groot het is. Je hebt mooi haar, Emily. Ik hou bij meisjes nooit zo van krulhaar; steil haar is veel mooier...'

Ergens ten noorden van Forty-second Street kuste hij haar. Het was niet voor het eerst dat ze gekust werd – zelfs niet voor het eerst dat ze boven op een bus naar Fifth Avenue gekust werd; een jongen van high school had de moed opgebracht – maar zo'n soort kus als deze was echt de allereerste.

Bij Fifty-ninth Street mompelde hij: 'Kom, dan gaan we een eindje lopen,' en hij hielp haar het rammelende trapje af; toen waren ze in Central Park, en zijn arm lag nog steeds om haar heen. Het wemelde in dit deel van het park van de soldaten en meisjes: ze zaten op parkbanken te vrijen en liepen in groepjes, of paarsgewijs, met hun armen om elkaar heen. Sommige van de wandelende meisjes hadden hun vingers in de kontzak van hun soldaat laten glijden; andere hielden ze hoger, onder de ribbenkast. Ze vroeg zich af of er verwacht werd dat ze haar arm om Warren Maddock, of Maddox, heen zou leggen, maar daarvoor leken ze elkaar nog te kort te kennen. Hoewel, ze had hem gekust: deed het er dan nog toe of je iemand 'te kort' of 'te lang' kende?

Hij praatte maar door. 'Het is gek: soms leer je een meisje kennen en het klikt van geen kanten; een andere keer wel. Ik ken je pas een halfuur of zo en we zijn nu al oude vrienden...'

Hij loodste haar een pad in waar geen enkele verlichting leek te zijn. Hij liet onder het lopen zijn hand van haar schouder glijden en schoof die onder haar arm omhoog, zodat hij om haar borst lag. Zijn duim begon haar opgerichte, uitzonderlijk gevoelige tepel te strelen; ze kreeg er slappe knieën van en haar arm gleed als vanzelfsprekend om zijn rug.

'...een hoop jongens willen maar één ding van een meisje, vooral als ze eenmaal in dienst zijn; ik begrijp dat niet. Ik wil een meisje graag leren kennen... haar helemaal leren kennen, begrijp je wel? Je bent aardig, Emily; ik hou altijd wel van magere meisjes... nou ja, je weet wel, slanke dennen...'

Ze besefte pas dat ze van het pad af waren toen ze gras en aarde onder haar schoenzolen voelde. Hij nam haar mee over een grasveldje en toen ze in bijna volledige duisternis onder een ruisende boom belandden was de manier waarop ze zich samen op de grond lieten zakken allesbehalve onhandig: het had de soepelheid van een manoeuvre op de dansvloer en leek gedicteerd door zijn duim op haar tepel. Ze lagen een tijdje samen te kronkelen en te kussen; toen schoof zijn grote hand tot hoog langs haar dij en zei hij: 'O, alsjeblieft, Emily, alsjeblieft... Het kan geen kwaad, ik heb iets... Alsjeblieft, Emily...'

Ze zei geen ja, maar ze zei ook beslist geen nee. Alles wat hij deed – zelfs toen hij haar hielp om één voet uit haar onderbroekje te krijgen – leek zo te gaan omdat het dringend gebeuren moest: ze was hulpeloos en hij hielp haar en al het andere in de wereld was onbelangrijk.

Ze nam aan dat het pijn zou doen maar ze had geen tijd om zich schrap te zetten of het was zover – ze werd erdoor overrompeld – en tegelijk met de pijn begon een aanhoudend genot dat aangroeide tot iets dat extase beloofde toen het al wegzakte en verdween. Hij gleed uit haar weg, zakte op een knie in het gras naast haar been en rolde zich, zwaar ademend, van haar af; toen draaide hij zich weer om en nam haar in zijn armen. 'Ooh,' zei hij. 'Ooh.' Hij rook aangenaam naar vers zweet en gesteven katoen.

Ze had een pijnlijk en vochtig gevoel en dacht dat ze misschien bloedde, maar het ergste was nog de angst dat ze niet zouden weten waar ze het over moesten hebben. Waar had je het over, na zoiets? Toen ze weer onder een parklantaarn kwamen vroeg ze: 'Is mijn jurk vuil geworden?' en nadat hij met veel zorg zijn vechtpet op zijn hoofd had gezet, ging hij een stap achter haar lopen om te kijken.

'Mmm-nee, niks te zien,' zei hij. 'Er zitten niet eens grasvlekken op. Wil je ergens milkshake of zo?'

Hij nam haar in een taxi mee naar Times Square, waar ze staande aan een toonbank een grote chocolademilkshake dronken en geen woord wisselden. Haar maag leek toen het spul erin kwam samen te trekken – ze wist dat ze misselijk zou worden – maar ze dronk het toch maar op want het was beter dan daar zonder gespreksstof blijven staan. Toen ze het op had was haar misselijkheid zo acuut dat ze niet wist of ze het helemaal tot huis zou halen zonder over te geven.

'Op?' vroeg hij terwijl hij zijn mond afveegde en haar aan haar elleboog het drukke trottoir op loodste. 'Als je me nou vertelt waar je woont, kijken we of we daar met de ondergrondse kunnen komen.'

Iedereen die ze passeerden leek grotesk, als personages in een koortsdroom: een verlekkerd kijkende matroos met een bril op, een dronken neger gekleed in een paarsrood pak, een mompelende oude vrouw die vier vettige boodschappentassen droeg. Op de hoek stond een gemeentelijke afvalbak van ijzergaas en ze rende ernaartoe en haalde het nog net. Hij kwam achter haar staan en probeerde terwijl ze overgaf haar armen vast te houden, maar ze schudde zich los: ze wilde dit deprimerende, vernederende gedoe alleen doormaken. Toen het kokhalzen voorbij was, ook de keren dat er niets kwam, pakte ze een papieren zakdoekje uit haar tas en maakte ze haar mond schoon, maar de smaak van overgegeven chocolademilkshake zat niettemin nog overvloedig in haar keel en neus.

'Gaat het, Emily?' informeerde hij. 'Zal ik een bekertje water voor je halen?'

'Nee, hoeft niet. Ik voel me best. Sorry.'

In de ondergrondse las hij de advertenties of bekeek de gezichten van de passagiers aan de overkant van het pad, en zei niets. En al had ze geweten hoe ze een gesprek moest beginnen, dan was het in de trein toch te lawaaiig geweest – ze hadden moeten schreeuwen – en vlak erna kwam een volgende, somberder gedachte bij haar op: nu ze had overgegeven zou hij haar geen afscheidskus willen geven. Toen ze uit de trein stapten deed de buitenlucht weldadig aan, maar hun stilzwijgen duurde tot Washington Square en ongeveer de plek in het park waar ze elkaar hadden ontmoet.

'Waar woon je, Emily?'

'O, breng me maar liever niet naar huis. Ik neem gewoon hier afscheid.'

'Zeker weten? Je wordt niet ziek of zo?'

'Nee hoor. Ik voel me best.'

'Oké.' En ja hoor, hij gaf haar alleen een kneepje in haar arm en een kusje op haar wang. 'Pas goed op jezelf,' zei hij.

Pas toen ze zich had omgedraaid om te zien hoe hij wegliep, besefte ze hoeveel hieraan niet deugde: ze hadden geen adressen uitgewisseld en beloofd te schrijven; ze wist niet eens precies hoe hij van zijn achternaam heette.

'Emmy?' riep Pookie vanuit bed. 'Hoe was de film?'

Een week later nam Pookie om tien uur 's ochtends de hoorn van een rinkelende telefoon op. '...O; ja, met... Hij is wát? O, mijn God...Wanneer?... Juist ja... God... O, mijn God...'

En nadat ze had opgehangen zei ze: 'Lieverd, je vader is vanmorgen gestorven.'

'Echt?' Emily ging met haar handen in haar schoot op een krakende eetkamerstoel zitten, en later zou ze zich altijd herinneren dat ze helemaal niets gevoeld had toen ze het net hoorde.

Pookie zei nog een paar keer 'mijn God', alsof ze wachtte tot het zou doordringen, en toen begon ze te huilen. Toen haar gesnik bedaard was, zei ze: 'Longontsteking. Hij was al meer dan een week ziek en de dokter probeerde hem thuis te behandelen, maar je weet hoe je vader was.'

'Hoezo, "weet" ik dat?'

'Ik bedoel, je wéét wel; zolang hij in zijn eigen appartement was had hij zijn whisky en zijn sigaretten. Toen vond hij het gisteren eindelijk goed dat ze hem naar het ziekenhuis zouden brengen, maar het was te laat.'

'Wie belde daarnet? Het ziekenhuis?'

'Mevrouw Hammond. Je wéét wel. Irene Hammond, je vaders vriendin.'

Maar Emily wist van niets – ze had nog nooit van Irene Hammond gehoord – en terwijl nu tot haar doordrong dat Irene Hammond waarschijnlijk veel meer geweest was dan een vriendin, kwam voor het eerst een gevoel in haar op. Het was geen verdriet, niet precies; het leek meer op spijt.

'Ik zie er zo tegenop om Sarah te bellen,' zei Pookie. 'Ze was altijd pappa's kleine meid.'

Toen ze opbelde, kon Emily alleen al aan Pookies kant van het gesprek horen dat Sarahs verdriet snel en hevig was. Maar als Sarah altijd haar vaders kleine meid geweest was, wiens kleine meid was Emily dan?

De mensen van de rouwkamer hadden Walter Grimes zo opgebaard dat hij veel jonger leek dan zijn zesenvijftig jaar; ze hadden hem roze wangen en lippen gegeven en Emily wilde niet naar hem kijken. Maar Sarah boog zich over hem heen en kuste het lijk op zijn voorhoofd; daarna kuste Pookie het op zijn mond, hetgeen Emily een rilling bezorgde.

Irene Hammond bleek een goed verzorgde, aardig uitziende vrouw van in de veertig. 'Sarah en Emily, ik heb zo veel over jullie gehoord,' zei ze, en toen ze Tony Wilson een hand gaf zei ze dat ze ook heel veel over hem had gehoord. Daarna wendde ze zich weer tot Emily en zei 'Ik kan je niet zeggen hoe blij je vader over die studiebeurs was.'

Het crematorium was ergens in Westchester County en ze reden er in de limousine achter de lijkwagen naartoe – Sarah en Tony op de klapstoeltjes, Pookie en Emily achterin. Achter hen kwam nog een volgauto met Irene Hammond en de paar familieleden van Walter Grimes die van buiten de stad hadden kunnen komen, en daarachter reden weer andere auto's met werknemers van de *New York Sun*.

De ceremonie in de kapel was nogal karig. Er klonk een elektrisch orgel, een vermoeid uitziende man las een paar algemene gebeden voor, de kist werd weggehaald en het was voorbij.

'Wacht even,' zei Sarah toen ze achter elkaar naar buiten liepen, en ze haastte zich terug naar haar zitplaats, waar ze zich in haar eentje kromgebogen door een laatste huilstuip liet overmannen. Het was of al haar rouw van de afgelopen dagen niet echt had volstaan – daar was voor nodig dat haar voorovergebogen gezicht nog een laatste keer verschrompelde en haar schouders beefden.

En Emily moest de eerste traan nog laten. Ze piekerde er de hele terugweg naar de stad over en hield in de limousine een hand tussen haar wang en het koele trillende glas van het raampje geklemd alsof dat zou helpen. Ze probeerde in zichzelf 'pappa' te fluisteren, ze probeerde haar ogen dicht te doen en zich zijn gezicht voor de geest te halen, maar het had geen enkele uitwerking. Toen bedacht ze iets waarvan haar keel samentrok: ze was dan misschien nooit haar vaders kleine meid geweest, maar hij had haar wel altijd 'konijntje' genoemd. En het huilen kwam nu vanzelf, zelfs zo dat haar moeder een arm uitstak en haar een kneepje in haar hand gaf; het enige probleem was dat ze eigenlijk niet wist of ze nu om haar vader huilde of om Warren Maddock, of Maddox, die terug was in South Carolina en scheep ging om te worden toegevoegd aan een divisie.

Maar ze hield van het ene moment op het andere op met huilen toen tot haar doordrong dat zelfs dat een leugen was: deze tranen waren, zoals altijd al in haar leven, helemaal voor haar alleen – voor de arme, gevoelige Emily Grimes die door niemand begrepen werd, en die niets begreep.

Hoofdstuk 4

Sarah baarde binnen drie jaar drie zoons en Emily kon altijd bijhouden hoe oud ze waren door te bedenken: Tony junior werd geboren toen ik eerstejaars was, Peter toen ik tweedejaars was, Eric toen ik derdejaars was.

'Mijn hemel, zoals die zich voortplanten,' zei Pookie toen ze van de derde zwangerschap hoorde. 'Ik dacht dat alleen Italiaanse boeren dat zo deden.'

De derde zwangerschap bleek de laatste te zijn – het zou bij die drie jongens blijven – maar het lukte Pookie altijd om met licht spottende blik ten hemel te suggereren dat drie meer dan genoeg was.

Zelfs het bericht van de eerste zwangerschap leek haar van haar stuk te brengen. 'Natuurlijk vind ik het wel leuk,' zei ze tegen Emily. 'Maar Sarah is nog zo jóng.' Pookie had het appartement op Washington Square opgegeven; ze had een baantje gevonden bij een makelaardij in Greenwich Village en was naar een kleine bovenetage zonder lift verhuisd, vlak om de hoek van Hudson Street. Emily was een weekend van Barnard thuis en Pookie maakte sardinesandwiches voor de lunch. Ze viste met twee vingers het laatste oliegladde sliertje sardine uit het blikje. 'En trouwens,' zei ze, 'kun jij je mij als grootmoeder voorstellen?'

Emily wilde zeggen Ik kan me jou niet eens als moeder voorstellen, maar ze beheerste zich. Deze weekends doorkomen was het belangrijkste ervan, en morgen gingen ze naar St. Charles, Long Island, voor Emily's eerste bedevaart naar het landgoed van de Wilsons.

'Hóé ver is het, zei je?'

'Laat dat precieze aantal kilometers nou maar,' zei Pookie, 'het is maar een paar uur met de trein. Het is echt een heel prettige reis, als je iets te lezen meeneemt.'

Emily nam een van haar Engelse studieboeken mee, maar ze had zich er nog maar net in verdiept of de conducteur knipte hun kaartje en zei: 'Dzjemeek overstappe.'

'Wat zei hij?'

'Je moet in Jamaica altijd overstappen op de trein naar St. Charles,' legde Pookie uit. 'Het duurt niet lang.'

Maar dat duurde het wel: ze stonden al een halfuur op het winderige perron van Jamaica voor de trein kwam binnenratelen, en dat was nog maar het begin van de reis. Waren alle treinen naar Long Island zo lawaaiig en smerig en slecht onderhouden, of alleen die naar St. Charles?

Toen ze eindelijk bij het piepkleine station uitstapten zei Pookie: 'Er zijn natuurlijk geen taxi's, vanwege de oorlog, maar het is maar een klein eindje lopen. Zijn de bomen niet prachtig? En ruik die lucht eens, zo fris!'

In de korte hoofdstraat van St. Charles kwamen ze langs een drankwinkel en een ijzerwinkel en een groezelig winkeltje waar WORMEN EN MADEN werden verkocht; even later bevonden ze zich op een landweg en klapten onder het lopen Emily's pumps met naaldhakken onder haar om. 'Is het nog erg ver?' vroeg ze.

'Vlak na het volgende weiland. Dan komen we langs een stukje bos dat bij het landgoed hoort en dan zijn we er. Ik kan er niet over uit hoe prachtig het allemaal is.'

En Emily wilde best toegeven dat het er mooi was. Verwilderd, maar mooi. Een oprijlaan voerde vanaf de weg tussen de bomen en de hoge, ruisende hagen door; waar hij zich splitste zei Pookie 'Het grote huis ligt daar – er is nog net een hoek van te zien maar dat huis bekijken we straks – en Sarahs huisje is deze kant op.'

Het was een bungalow van overnaadse planken, met een klein gazon, en Sarah kwam hen over het gras tegemoet. 'Dag,' zei ze. 'Welkom in het Huis in het Poeh-hoekje.' Het klonk alsof ze het had ingestudeerd en ook uit haar kleren bleek een grote mate van voorbereiding: frisse en fleurige zwangerschapskleding, misschien wel voor deze gelegenheid gekocht. Ze zag er beeldschoon uit.

Ze zette een lunch op tafel die bijna zo slecht was als een van Pookies maaltijden; en toen was er het probleem dat ze telkens zonder gespreksstof zaten. Sarah wilde 'alles' over Barnard horen, maar als Emily erover begon zag ze Sarahs blik glazig worden van glimlachende verveling. Pookie zei: 'Gezellig, hè? Gewoon wij weer met z'n drietjes?' Maar eigenlijk was het helemaal niet zo gezellig en zaten ze het grootste deel van de middag in de schaars gemeubileerde zitkamer in houdingen van geforceerde vrolijkheid bij elkaar terwijl Pookie veel sigaretten rookte en as op het vloerkleed morste, drie vrouwen die elkaar niets bijzonders te vertellen hadden. Een van de muren hing vol kleurenillustraties van Magnum marine-gevechtsvliegtuigen in actie; aan een andere hing de ingelijste paasparade-foto van Sarah en Tony.

Geoffrey Wilson had hen in het grote huis op de borrel gevraagd en Pookie hield scherp de klok in de gaten: ze wilde niet te laat komen.

'Gaan jullie maar vast,' zei Sarah. 'Als Tony op tijd thuis is komen wij ook, maar dat zal wel niet; hij moet de laatste tijd vaak overwerken.'

Dus gingen ze zonder haar naar het grote huis. Ook dat was van witte overnaadse planken, en het was langgerekt en lelijk – op sommige plekken drie woonlagen en op andere twee, met zwartgedekte puntdaken die de bomen in staken. Als je binnenkwam was de stank van schimmel het eerste dat opviel. Hij sijpelde van de bruine olieverfschilderijen in de vestibule, van de krakende vloer en de tapijten en muren en het sombere meubilair in de lange donkere woonkamer.

'...Het is een oud huis,' zei Geoffrey Wilson terwijl hij voor Pookie een whisky inschonk, 'en het is te groot om zonder bedienden schoon te houden, maar we doen ons best. Jij ook een whisky, Emily, of doe je met Edna mee en drink je sherry?'

'Graag een sherry.'

'En het grootste probleem is nog de verwarming,' vervolgde hij. 'Mijn vader heeft het als zomerhuis gebouwd, begrijp je wel, en er is nooit een behoorlijke verwarming in geweest. Een van de huurders heeft oliestook laten aanbrengen die op een vage manier voldoende lijkt, maar ik stel me zo voor dat we van de winter de meeste kamers zullen moeten afsluiten. Nou ja. Proost.'

'Ik vind het een verrúkkelijk huis,' zei Pookie, en ze ging ervoor zitten om eens prettig te borrelen. 'Ik wil er niets slechts over horen! Zie je die beeldschone oude portretten, Emily? Dat zijn een stel van Geoffrey's voorouders. Aan alles in deze kamer zit wel een verhaal vast.'

'Meestal buitengewoon vervelende verhalen, vrees ik,' zei Geoffrey Wilson.

'Fascinerende verhalen,' liet Pookie zich niet van de wijs brengen. 'O, Geoffrey, ik kan je niet vertellen hoe heerlijk ik het tegenwoordig hier buiten vind – al die beeldschone weilanden en het bos en Sarahs huisje en dit schitterende oude huis. Het heeft zo'n... ik weet het niet; zo'n flair. Heeft het een naam?'

'Een naam?'

'Je weet wel, zoals alle landgoederen. Zoals "Jalna", of "Green Gables".'

Geoffrey Wilson deed of hij erover nadacht. 'Zoals het er nu uitziet,' zei hij, 'zouden we het "Verwilderde Hagen" kunnen noemen.'

En Pookie besefte niet dat hij een grapje maakte. 'O, wat énig,' zei ze. 'Maar "Verwilderde" klopt niet helemaal. Wat dacht je' – ze bewoog haar lippen – 'wat dacht je van "Hoge Hagen"?'

'Mm,' zei hij vriendelijk. 'Ja, klinkt wel aardig.'

'Zo zal ik het dan in elk geval noemen,' verkondigde ze. ' "Hoge Hagen", St. Charles, Long Island, New York.'

'Ja ja.' Hij richtte zich tot Emily. 'En, hoe bevalt het je op, eh... Barnard?'

'O, het is heel... interessant.' Emily nam een slokje en ging op haar gemak zitten kijken hoe haar moeder dronken werd. Ze wist dat het niet lang zou duren. Bij haar tweede whisky begon Pookie het gesprek naar zich toe te trekken: ze vertelde lange oeverloze verhalen over huizen waarin ze gewoond had terwijl ze voorovergebogen in haar leunstoel met haar ellebogen op haar lichtelijk gespreide knieën steunde. Emily, die tegenover haar zat, kon belangstellend volgen hoe onder het praten en drinken haar gezicht verslapte, haar knieën verder uit elkaar gingen tot ze de kousenboorden met jarretels, de beschaduwde slaphangende binnenkanten van haar naakte dijen en uiteindelijk het kruis van haar onderbroek onthullen.

'...Maar het léúkste huis dat ik ooit gehad heb was in Larchmont. Weet je nog, lieverd, dat huis in Larchmont? Het had echte openslaande ramen en een echt leien dak; we konden het natuurlijk niet betalen, maar toen ik het zag, zei ik zei meteen "Dáár wil ik wonen", en ik ging linea recta naar binnen en tekende het huurcontract, en de meisjes waren dol op dat huis. Ik zal nooit vergeten hoe... o, ja graag, Geoffrey; nog eentje dan en daarna moeten we echt...'

Waarom kon ze niet stilletjes dronken worden, met haar benen in de kussens onder zich getrokken, zoals Edna Wilson?

'Nog een beetje sherry, Emily?'

'Nee, bedankt. Ik hoef niet meer.'

'...En de scholen in Larchmont waren natuurlijk prima; dat is één reden dat ik wilde dat we hadden kunnen blijven; maar nou ja, ik vond altijd dat het de meisjes érg veel goed deed om zo vaak van huis te veranderen, en natuurlijk...'

Toen ze eindelijk zover was dat ze wegging, moest Geoffrey Wilson haar helpen om naar de deur te lopen. Het werd nu donker. Emily pakte haar arm – hij voelde zacht en slap – en ze liepen langs bomen en verwilderd struikgewas naar de lange weg naar het station. Ze wist dat Pookie in de trein zou slapen – dat hoopte ze in elk geval; het was beter dan dat ze wakker zou blijven en praten – en hun avondeten, als ze iets aten, zou bestaan uit een hotdog en koffie op Penn Station. Maar het kon haar niet schelen: het weekend was bijna voorbij en over een uur of wat was ze weer op Barnard.

Haar leven draaide om haar studie. Voor ze op Barnard kwam had ze nog nooit het woord 'intellectueel' als zelfstandig naamwoord horen gebruiken, en ze nam het serieus. Het was een dapper zelfstandig naamwoord, een trots zelfstandig naamwoord, een zelfstandig naamwoord dat duidde op levenslange toewijding aan het hooggestemde en een koele verachting voor het alledaagse. Een intellectueel kon misschien aan een soldaat in het park haar maagdelijkheid verliezen, maar ze leerde er met ironische, geamuseerde afstandelijkheid op terug te kijken. Een intellectueel had misschien een moeder die je in haar kruis kon kijken als ze dronken was, maar dat zou haar een zorg zijn. En Emily Grimes was misschien nog geen intellectueel, maar als ze zelfs bij de saaiste colleges uitvoerig aantekeningen maakte en als ze elke avond las tot haar ogen pijn deden, dan was dat enkel een kwestie van tijd. Er zaten in haar jaar meisjes en zelfs een paar jongens van Columbia University die haar nu al, alleen al door haar manier van praten, als een intellectueel beschouwden.

'Dit boek is niet alleen vervelend,' zei ze een keer over een langdradige achttiende-eeuwse roman, 'het is perniciéús vervelend.' En het viel haar in de erop volgende dagen onwillekeurig op dat verscheidene meisjes bij haar in huis rijkelijk het woord 'pernicieus' gebruikten.

Maar een intellectueel zijn ging dieper dan een stijl van praten, was meer dan elk semester op de lijst van de beste studenten staan, of al je vrije tijd in musea doorbrengen en concerten bezoeken en naar het soort films gaan dat het predicaat 'filmhuis' had. Je moest leren niet met stomheid geslagen te zijn als je plotseling in een gezelschap oudere, erkende intellectuelen terechtkwam – en niet de tegenovergestelde vergissing begaan er maar wat op los te praten en de ene inhoudloze en afschuwelijke mening na de andere te verkondigen in een wanhopige poging alle inhoudloze of afschuwelijke meningen goed te maken die je twee minuten geleden verkondigd had. En als je jezelf dan toch in een dergelijk gezelschap voor schut zette, moest je leren na afloop niet in een aanval van droefenis in bed ineen te krimpen.

Je moest serieus zijn, maar – was de waanzinnige paradox – je moest de indruk maken de dingen nooit erg serieus te nemen.

'Ik vond dat je het er heel goed vanaf bracht,' zei een verfrommelde man op een feestje in haar tweede jaar.

'Hoezo? Hoe bedoel je?'

'Daarnet, toen je met Lazlow praatte. Ik stond te luisteren.'

'Toen ik met wie praatte?'

'Je wist niet eens wie het was? Clifford Lazlow, politicologie. Een geduchte tegenstander, hoor.'

'O.'

'Hoe dan ook, je bracht het er prima vanaf. Je liet je niet intimideren, maar je was ook niet agressief.

'Maar hij is gewoon een komisch kereltje met een dubbelfocusbril!'

'Dát is komisch.' En hij deed met schokkende mollige schouders een lachbui na. 'Dat is pas echt komisch. Een komisch kereltje met een dubbelfocusbril. Wil je iets drinken?'

'Nee, ik heb niet zo'n... of eigenlijk, ja graag.'

Hij heette Andrew Crawford en hij was doctoraalassistent filosofie. Terwijl hij praatte hing zijn klamme haar in zijn ogen en ze had de neiging het met haar vingers naar achteren te kammen. Hij was niet zo kort en dik als hij op het eerste gezicht geleken had; hij was op zijn manier aantrekkelijk, vooral als hij zo gespannen praatte, maar hij zag er uit alsof hij wat vaker in de buitenlucht zou moeten komen. Na zijn doctoraal, zei hij, zou hij onderwijs blijven geven – 'als het leger me niet in zijn klauwen krijgt, maar daar is weinig kans op; ik ben een lichamelijk wrak' – en ging hij reizen, dat ook. Hij wilde Europa zien of wat daarvan over zou zijn, en hij wilde ook naar Rusland, en China. De wereld zou op onvoorspelbare manieren herschapen worden, en hij wilde er niets van missen. Maar in wezen wilde hij onderwijs geven. 'Ik ben graag in leslokalen,' zei hij. 'Ik weet dat het duf klinkt, maar ik vind het universitaire leven prettig. Wat is jouw vakgebied?'

'Ik ben nog maar tweedejaars; mijn hoofdvak is Engels maar ik weet nog niet echt...'

'Echt? Je ziet er ouder uit. Ik bedoel: je ziet er niet ouder uit, maar je lijkt ouder. Zoals je hier rondloopt; zoals je het met die ouwe Lazlow aanpakte. Ik zou hebben gezworen dat je aan je promotie bezig bent of zo. Je hebt een heel... ik weet niet. Je lijkt heel zeker van jezelf. Op een goeie manier, bedoel ik. Dit soort feestje wordt na een tijdje een beetje te heftig, vind je ook niet? Iedereen overschreeuwt elkaar, iedereen probeert elkaar te overtroeven. Het is ego, ego, ego wat de klok slaat. Wil je nog iets drinken?'

'Nee; ik moest maar eens weg.'

'Waar woon je? Dan breng ik je naar huis.'

'Nee dank je, ik ben hier trouwens met iemand.'

'Met wie?'

'Je kent hem vast niet; Dave Ferguson. Hij staat daar bij de deur; die lange jongen.'

'Die? Maar die is hoogstens víjftien.'

'Doe niet zo gek. Hij is eenentwintig.'

'Waarom is hij niet onder dienst? Zo'n potige knul.'

'Iets aan z'n knie.'

'Een "zwakke knie" zeker?' zei Andrew Crawford. 'Een voetbalknietje. Lieve God, ik ken dat soort.'

'Hoor eens, ik weet niet wat je daarmee zeggen wilt, maar ik...'

'Ik wil helemaal niets zeggen. Ik wil nooit iets zeggen. Ik zeg altijd precies wat ik bedoel.'

'Hoe dan ook, ik moet weg.'

'Wacht even.' En hij liep haar door de drom mensen achterna. 'Goed als ik je een keer bel? Mag ik je telefoonnummer?'

Terwijl ze het nummer opschreef vroeg ze zich af waarom eigenlijk. Ze had toch net zo gemakkelijk nee tegen Andrew Crawford kunnen zeggen? Maar dat was het probleem: dat zou dus niet zo gemakkelijk zijn geweest. Hij had iets – zijn ogen, zijn mond, zijn week uitziende schouders – dat uitdrukte dat hij hoogst ongegrond gekwetst zou zijn als je nee zei.

'Dank je,' zei hij, terwijl hij haar telefoonnummer in zijn zak stopte, en hij keek zo blij als een kind dat als enige geprezen wordt. 'Dank je wel.'

'Wie was dat dikke kereltje?' vroeg Dave Ferguson toen ze buiten stonden.

'Ik weet niet. Een of andere promovendus filosofie. Ik zou hem niet echt dik willen noemen.' En na een tijdje zei ze: 'Maar wel arrogant.' En ook dat zat haar niet lekker: arrogant kon je hem ook niet echt noemen.

'Maar hij geilde wel op je.'

'Dat zeg je van iedereen.'

Het was een onbewolkte avond en ze genoot ervan daar zo met Dave Ferguson te lopen. Hij hield haar dicht tegen zich aan maar niet op de krampachtige, bijna wanhopige manier van sommige andere jongens; zijn benen liepen perfect gelijk op met de hare en de cadans van hun hakken op de weg was scherp en stimulerend.

'Goed als ik boven kom?' vroeg hij toen ze voor de deur van

haar gebouw stonden. Ze had tegenwoordig haar eigen appartement in een gebouw van de studentenhuisvesting; ze had drie of vier keer goed gevonden dat hij 'bovenkwam', en twee keer was hij de hele nacht gebleven.

'Vanavond maar niet, Dave,' zei ze, zonder hem echt aan te kijken. 'Ik ben erg...'

'Wat is er? Ben je ziek?'

'Nee; ik ben gewoon zo moe dat ik meteen wil gaan slapen. En morgen heb ik dat zenuwententamen over Chaucer.'

Toen ze zich had omgedraaid om te kijken hoe hij de aftocht blies, zijn schouders opgetrokken in zijn regenjas, vroeg ze zich af waarom ze hem had weggestuurd. Het leven was verwarrend.

Een van de pijndoende dingen die Emily op Barnard leerde was zich intelligenter te voelen dan haar zusje. Ze voelde zich al jaren intelligenter dan haar moeder, maar dat was iets anders; toen het met betrekking tot Sarah gebeurde had ze het gevoel vertrouwen te beschamen.

Het viel haar voor het eerst op toen Pookie en zij vlak na de geboorte van Sarahs tweede zoon naar St. Charles gingen. Tony junior stond nu, hij klampte zich kwijlend aan zijn moeders been vast terwijl zij naar het nieuwe gezichtje in de wieg tuurden.

'Ik vind Peter zo'n enige naam,' zei Pookie. 'En je hebt gelijk, Sarah, hij is écht anders. Kleine Tony en hij zijn twee heel verschillende persoonlijkheden. Vind je niet, Emmy?'

'Mm.'

Toen de bezichtiging voorbij was en de kinderen sliepen, gingen ze in de woonkamer zitten en schonk Sarah drie glazen sherry in. Ze had kennelijk van Edna Wilson sherry leren drinken.

'Hè, wat heerlijk om even te zitten,' zei ze, en ze zag er inderdaad moe uit; maar terwijl ze praatte knapte ze zienderogen op. Op sommige momenten, vooral als ze een beetje alcohol in haar bloed had, was Sarah bijna even praatgraag als Pookie.

'...Ik moest afgelopen augustus of wanneer het ook was, toen Italië zich overgaf, onwillekeurig aan pappa denken. Hebben jullie die dag de kranten gezien? De koppen? Nou, de *News* – dat is de enige krant die wij krijgen; Tony leest hem graag – de *News* kopte

ITALIË STOPT ERMEE; maar ik was die dag toevallig in het dorp, dus zag ik ook alle andere kranten. De *Times* en de *Tribune* schreven ITALIË GEEFT ZICH OVER of zoiets, en de meeste andere ook. Maar weet je wat de *Sun* schreef? Pappa's krant? Die ouwe trouwe *Sun* kopte ITALIË CAPITULEERT. Onvoorstelbaar, toch? Toch onvoorstelbaar dat pappa zo'n kop zou schrijven, of zelfs maar goed zou vinden dat die geschreven werd? Hij was erin gebleven. Ik bedoel,' zei ze er snel achteraan, 'hij had het nooit goed gevonden.' En ze nam een grote slok.

'Ik kan je niet volgen,' zei Emily.

'Toe nou, Emmy,' zei Sarah. 'Hoeveel mensen weten er nou wat "capituleren" betekent?'

'Weet jij wat het betekent?'

Sarah knipperde met haar ogen. 'Nou ja, ik bedoel, hoeveel mensen weten dat verder nog? En een dagblad dat door miljoenen mensen gelezen moet worden – ik weet het niet; ik vond het raar, dat is alles.'

'Verrukkelijk,' zei Pookie.

Sarah liet zich op de bank achterover zakken en trok haar enkels onder zich op – had ze ook dat gebaar van Edna Wilson overgenomen? – en begon met het enthousiasme van een acteur die weet dat het publiek in haar ban zal raken aan haar volgende monoloog. 'O, dit móét ik jullie vertellen,' begon ze. 'Om te beginnen kreeg ik vorig jaar een brief van Donald Clellon en die...'

'Donald Clellon?' vroeg Emily. 'Nee, toch?'

'Nou ja, gewoon een beetje een triest briefje; dat is niet belangrijk. Hij schreef dat hij nu onder dienst was en dat hij vaak aan me dacht – je wéét wel – en hij schreef dat hij hier in Camp Upton gelegerd was. Hoe dan ook...'

'Hoe lang geleden was dat?'

'Ik weet het niet; een jaar geleden of zo. Hoe dan ook, we hadden hier vorige maand luchtalarm... hebben jullie daar iets over gehoord?'

'Néé toch,' zei Pookie, met een bezorgd gezicht.

'Nou ja, er was natuurlijk niets aan de hand, dat is het hele punt. Het duurde maar een paar uur. Ik was niet bang, maar sommige van die zielepoten hier in het dorp wel... ze hadden het er dagen later nog over. Hoe dan ook, op de radio werd gezegd dat een van de soldaten in Camp Upton het alarm per ongeluk had aangezet, en ik zei – ik vertelde het tegen Tony en hij kwam niet meer bij van het lachen – ik zei "Wedden dat het Donald Clellon was?"'

Pookie gooide haar hoofd in haar nek en schaterde het steeds weer uit op een manier dat haar slechte gebit zichtbaar werd, en ook Sarah lag slap van de lach.

'Hé, wacht even,' zei Emily terwijl haar moeder en zusje weer bijkwamen. 'Camp Upton is enkel een doorgangscentrum; ze blijven hier maar een paar dagen en gaan dan naar andere kampen voor hun basisopleiding, en daarna gaan ze scheep en worden toegevoegd aan een divisie. Als Donald je een jaar geleden geschreven heeft, is hij nu waarschijnlijk in Europa.' En ze zou erbij gezegd hebben Misschien is hij zelfs wel dood, maar ze wilde het er niet te dik op leggen.

'O ja?' vroeg Sarah. 'Dat wist ik niet, maar toch.'

'Hè, Emmy,' zei Pookie. 'Je bederft de mop ervan. Waar is je gevoel voor humor?' En ze herhaalde de laatste zin om nog even na te genieten. 'Wedden dat het Donald Clellon was?'

Emily wist niet waar haar gevoel voor humor was, maar hier was het niet, dat wist ze wel – en later die middag, toen Pookie en zij voor hun rituele bezoek aan de Wilsons senior naar het grote huis gingen, was het daar ook niet. Ze nam aan dat ze het op Barnard had laten liggen, samen met alle andere dingen van betekenis.

Ze rekende er een tijdje op dat Andrew Crawford haar elk moment zou kunnen bellen; toen dacht ze er niet meer over na, en er ging meer dan een jaar voorbij voor hij belde – in het jaar dat ze derdejaars werd.

Ze had het met Dave Ferguson uitgemaakt en was zes romantische, melancholieke weken samen geweest met een jongen die Paul Resnick heette, die wachtte tot hij zou worden opgeroepen voor militaire dienst; later schreef hij haar een lange brief uit Fort Sill, Oklahoma, waarin hij uitlegde dat hij van haar hield maar niet gebonden wilde zijn. Ze werkte die zomer in een boekwinkel op het noordelijk deel van Broadway – 'studenten Engels zijn goede boekverkopers,' legde de boekhandelaar haar uit; 'ik neem altijd een student Engels' – en de winter daarop belde, zomaar ineens, Andrew Crawford.

'Ik wist niet zeker of je nog zou weten wie ik was,' zei hij, terwijl ze in een Grieks restaurant vlak bij de campus van Columbia aan een tafeltje gingen zitten.

'Waarom heb je al die tijd niet gebeld?'

'Ik durfde niet zo goed,' zei hij terwijl hij zijn servet openvouwde. 'Ik durfde niet zo goed en daarbij kwam dat ik een erbarmelijke relatie had met een jonge dame wier naam we hier niet zullen noemen.'

'O. Hoe word je trouwens genoemd? Andy?'

'Mijn hemel, nee. Bij "Andy" denk je aan een duivelse snelheidsmaniak of zo; helemaal mijn type niet, vrees ik. Iedereen zegt altijd Andrew. Ik geef toe, het ligt een beetje moeilijk op de tong – zoiets als Ernest of Clarence – maar ik ben eraan gewend.'

Aan de manier waarop hij at, kon ze zien dat hij een grage eter was – hij was inderdaad een beetje mollig – en hij was niet erg spraakzaam tot hij genoeg gegeten had en toen lag er intussen een vage glans van vet om zijn mond. Daarna begon hij te praten alsof ook praten een sensueel genoegen was en gebruikte daarbij woorden als 'divergerend' en 'reducerend'. Hij had het niet over de oorlog als een wereldbrand die hem elk moment kon verzwelgen – hij zei ook nu weer dat hij een lichamelijk wrak was – maar als een ingewikkeld en fascinerend internationaal spel; daarna praatte hij over boeken die ze nooit gelezen had en schrijvers van wie ze nooit gehoord had, en toen had hij het over klassieke muziek, waar ze bijna niets vanaf wist. '...En zoals je misschien weet is de pianopartij in die sonate een van de moeilijkste stukken ter wereld. Technisch gesproken, dan.'

'Ben je dan ook nog musicus?'

'Vroeger, zo'n beetje. Ik heb jaren piano en klarinet gestudeerd – ik was zo'n vervelend rotkind dat "begaafd" heet, weet je wel – maar toen ik geen talent voor optreden bleek te hebben, heb ik het met componeren geprobeerd. Ik heb aan de Eastman School of Music compositie gestudeerd tot duidelijk was dat ik ook daar geen groot talent voor had; daarna heb ik de muziek er helemaal aan gegeven.'

54

'Het moet erg... pijn doen om zoiets op te geven.'

'O ja, mijn hart brak. Maar in die tijd brak mijn hart zo ongeveer eens per maand, dus was het niet meer dan een kwestie van gradatie. Wat wil je toe?'

'Hoe vaak breekt je hart tegenwoordig nog?'

'Hè? O, niet zo vaak meer. Misschien twee of drie keer per jaar. Wil je iets toe? Ze hebben hier verrukkelijke baklava.'

Ze besloot dat ze hem wel leuk vond. Het vet om zijn mond vond ze niet zo leuk, maar dat veegde hij af voor hij aan zijn baklava begon en verder vond ze alles leuk. Geen enkele jongen die ze gekend had bezat zo'n brede algemene ontwikkeling en had zo veel goed onderbouwde meningen – hij was een echte intellectueel – en geen van die andere jongens was ook volwassen genoeg geweest om zelfkritiek te hebben. Maar dat was het punt: hij was geen jongen. Hij was dertig. Hij nam het leven voor wat het was.

Onder het lopen liet ze zijn arm behaaglijk dichtbij komen en toen ze beneden bij de deur van haar studentenflat kwamen vroeg ze 'Trek in een kop koffie?'

Hij deed twee stappen achteruit op het trottoir en keek verbaasd. 'Nee, dank je,' zei hij, 'nee, echt niet; heel erg bedankt; een andere keer.' En hij kuste haar zelfs niet; hij glimlachte alleen maar en zwaaide onhandig zo'n beetje met één hand terwijl hij zich afwendde. Boven liep ze een hele tijd met een vingerknokkel in haar mond door de kamer terwijl ze probeerde te bedenken wat ze verkeerd had gedaan.

Maar een paar dagen later belde hij haar weer op. Deze keer gingen ze naar een Mozart-concert en toen ze weer bij haar appartement kwamen zei hij dat een kop koffie misschien wel lekker zou zijn.

Hij ging op de tweedehands divan zitten die ze met hulp van haar moeder bij het Leger des Heils had gekocht en terwijl ze zenuwachtig aanrommelde in de kitchenette wist ze niet of ze naast hem zou gaan zitten of in de stoel aan de andere kant van de salontafel. Ze besloot naast hem te gaan zitten, maar hij leek het niet te merken. Als zij achteroverleunde boog hij zich voorover, roerde in zijn koffie, en als zij zich vooroverboog leunde hij achterover. En

55

al die tijd praatte hij, eerst over het concert en toen over de oorlog en de wereld en zichzelf.

Ze stak een hand uit naar een sigaret (ze moest iets omhanden hebben) en had die net opgestoken toen hij een uitval naar haar deed. Vonken vlogen in haar haar en langs de voorkant van haar jurk; ze was nu opgestaan, ze klopte haar jurk af en hij was een en al excuses. 'Mijn God, sorry; wat onhandig van me; dat soort dingen doe ik nu altijd... je zult wel denken...'

'Hindert niet,' zei ze. 'Je hebt me laten schrikken, dat is alles.'

'Weet ik; het... het spijt me ontzettend.'

'Nee, echt, het hindert niet.' Ze legde de sigaret weg en ging weer naast hem zitten en deze keer gleden zijn uitgestoken armen soepel om haar heen. Toen hij haar kuste was zijn gezicht rood aangelopen en het viel haar op dat hij niet, zoals jongens meestal deden, meteen naar haar borsten en dijen graaide; hij leek het fijn te vinden om haar alleen maar te omhelzen en kussen en liet dat vergezeld gaan van een zacht gekreun.

Na een tijdje trok hij zich van haar mond terug en vroeg 'Hoe laat heb je morgen je eerste college?'

'O, dat maakt niet uit.'

'Dat maakt wel uit. Moet je zien hoe laat het is. Het is echt beter dat ik wegga.'

'Nee; blijf. Alsjeblieft. Ik wil dat je blijft.'

En toen pas begon hij echt met haar te vrijen. Hij rukte zich kreunend zijn colbert en das van het lijf en liet die op de grond vallen; daarna hielp hij haar met haastige gebaren om haar jurk open te knopen. Met een paar snelle, onhandige bewegingen veranderde ze de divan in een bed en toen lagen ze diep onder de dekens te kronkelen en hijgen en klemden zich aan elkaar vast. Zijn warme, zware romp voelde zacht aan, maar hij was sterk.

'O,' zei hij. 'O, Emily, ik hou van je.'

'Nee, nee; niet zeggen.'

'Maar het is zo; ik moet het zeggen. Ik hou van je.'

Hij lag een tijdje aan een van haar tepels te bijten en zuigen terwijl hij haar met zijn handen streelde; daarna verplaatste zijn mond zich naar de andere. Na een hele tijd rolde hij zich een beetje van haar af en zei 'Emily?'

'Ja?'

'Het spijt me, ik eh... het gaat niet. Dat heb ik soms. Het gaat niet.'

'O.'

'Ik kan je niet zeggen hoe het me spijt; het is gewoon zo'n moment van... Heb je nu een hekel aan me?'

'Nee, natuurlijk niet.'

Hij hees zich met een enorme leegblazende zucht overeind en ging op de rand van het bed zitten, en hij zag er zo terneergeslagen uit dat ze achter hem zittend haar armen om hem heen sloeg.

'Mm,' zei hij. 'Lekker gevoel is dat. Ik vind het fijn als je me zo vasthoudt. En het is waar: ik hou van je. Je bent een verrukking. Je bent lief en natuurlijk en aardig en ik hou van je. Maar ik lijk dat vanavond niet te kunnen... nou ja, bewijzen.'

'Ss-sst. Het is wel goed.'

'Zeg eens eerlijk. Is dit je wel eens eerder overkomen? Is een man wel eens eerder zo bij je tekortgeschoten?'

'Ja hoor.'

'Dat zou je ook zeggen als het niet waar was. God, wat ben je toch aardig. Maar moet je horen, Emily: dit overkomt me maar een enkele keer. Neem je dat van me aan?'

'Natuurlijk wel.'

'De rest van de tijd is alles best. Mijn God, soms kan ik aan één stuk door neuken tot...'

'Ss-sst. Het is wel goed. Het was alleen vanavond. Er komen nog meer avonden.'

'Beloofd? Beloof je me dat?'

'Ja, natuurlijk.'

'Dat is heerlijk,' zei hij, en hij draaide zich om en nam haar in zijn armen.

Maar ze probeerden het een week lang, waaronder een paar middagen en dan ook nog 's avonds en 's ochtends; ze probeerden het telkens en telkens weer zonder dat het lukte. Ze herinnerde zich later van die week nog het meest de hitte en het zweet en hun gezwoeg en de stank van het bed.

'Het ligt vast aan mij,' zei ze een paar keer, en dan zei hij dat zoiets zeggen het alleen maar erger zou maken.

Eén keer kreeg hij het bijna voor elkaar: hij wurmde zich bij haar naar binnen en ze kon hem voelen. 'Zie je!' zei hij. 'O, mijn God, zie je; zie je...' maar het duurde niet lang of hij gleed uit haar weg en lag zwaar op haar te hijgen of te snikken van verslagenheid. 'Ik kan het niet meer,' zei hij. 'Ik kan het niet meer.'

Ze streelde zijn vochtige haar. 'Het was heel even verrukkelijk.'

'Dat is aardig van je, maar ik weet dat het niet "verrukkelijk" was. Het was nog maar het begin.'

'Nou ja, het was dan toch het begin, Andrew. Volgende keer brengen we het er beter vanaf.'

'Mijn God. Dat zeg ik nou altijd. Elke keer dat ik bij je wegga, terug naar die ellendige, hardvochtige, schreeuwende wereld, denk ik "Volgende keer breng ik het er beter vanaf." Maar het gaat altijd eender... altijd, altijd eender.'

'Ss-sst. Laten we nu maar gewoon gaan slapen. Misschien dat we dan morgenochtend...'

'Nee. Het is 's ochtends alleen maar erger. Dat weet je best.'

Op een warme dag met dooiweer in februari belde hij haar met de mededeling dat hij een besluit genomen had. Ze konden het niet aan de telefoon bespreken; konden ze elkaar om half vijf in het West End ontmoeten?

Ze trof hem in z'n eentje in de bar met een kroes bier, één voet schuin op de stang, en toen hij haar voorging naar een tafeltje liep hij met grote passen en ontspannen afhangende schouders. Het was haar wel eens eerder opgevallen: als ze ergens, in een bar of op een straathoek, met hem had afgesproken, liep en gedroeg hij zich altijd als een atleet in ruste.

Hij kwam vlak naast haar aan het tafeltje zitten, hield in de pauzes tussen glazen bier drinken een van haar handen vast en zei dat hij besloten had in psychotherapie te gaan. Hij had van iemand 'bij hem op het instituut' de naam van een therapeut gekregen; hij had de eerste afspraak al gemaakt en was bereid zo vaak te gaan als nodig was – twee, drie keer per week; het maakte hem niet uit. Het zou al zijn spaargeld en een groot deel van zijn salaris opslokken – hij zou misschien zelfs geld moeten lenen – maar er zat niets anders op.

'Zo, dat is... dat is heel moedig van je.'

Hij gaf haar een kneepje in haar hand. 'Het is niet moedig; het is een wanhoopsdaad. Ik had het waarschijnlijk al lang geleden moeten doen. En het moeilijke ervan is: ik denk dat we elkaar terwijl ik in therapie ben maar liever niet moeten zien. Laten we zeggen: minstens een jaar. Dan kom ik weer bij je langs, en naar alle waarschijnlijkheid heb je dan iets met een ander; ik kan alleen maar hopen dat je dan nog vrij bent. Want het punt is, ik wil met je trouwen, Emily, en ik...'

'Je wilt met me trouwen? Maar je hebt nog niet eens...'

'Alsjeblieft,' zei hij, en hij deed zijn ogen dicht alsof hij pijn had. 'Ik weet wat ik nog niet eens gedaan heb.'

'Dat wilde ik niet zeggen. Ik wilde alleen zeggen dat je nog niet eens een aanzoek hebt gedaan.'

'Je bent het liefste, natuurlijkste, aardigste meisje dat ik ooit ben tegengekomen,' zei hij, en hij sloeg zijn arm om haar heen. 'Natuurlijk heb ik dat nog niet... hoe zou ik, zoals de zaken ervoor staan? Maar zodra het jaar voorbij is, zodra ik... je weet wel... kom ik bij je terug en doe je het oprechtste huwelijksaanzoek dat je ooit hebt gehoord. Begrijp je, Emily?'

'Eh, ja. Behalve dat ik... eh, ja. Ja, natuurlijk, ik begrijp het.'

'Dat is heerlijk. Laten we nu zorgen dat we hier wegkomen voor ik in tranen uitbarst.'

Het was een aangename dag – het trottoir liep stampvol paartjes die buiten van de schijnlente kwamen genieten – en hij nam haar snel mee naar een bloemenwinkel op de hoek.

'Ik zet je in een taxi en stuur je naar huis,' zei hij, 'maar eerst koop ik bloemen voor je.'

'Nee, doe niet zo raar; ik wil helemaal geen bloemen.'

'Je wilt wel bloemen. Wacht.' Hij kwam met een dozijn gele rozen de winkel uit en duwde ze haar in haar handen. 'Alsjeblieft. Zet ze in het water; dan denk je ten minste nog aan me tot ze doodgaan. Emily? Zal je me missen?'

'Natuurlijk wel.'

'Doe maar net of ik onder de wapenen ben, net als al die andere, betere kerels die je gekend hebt. Oké dan. Geen lang afscheid.' Hij gaf haar een kus op haar wang; toen liep hij met soepele stappen de rijweg op, nog steeds op de atletische manier die hem niet aangeboren was; hij hield een taxi aan en bleef er – glimlachend en met een stralende blik die niet helemaal scherp leek te zien – naast staan om het portier voor haar open te houden.

Toen de taxi wegreed draaide ze zich in de zware geur van rozen om zodat ze zou kunnen zien of hij zwaaide, maar ze ving alleen een glimp van zijn rug op die zich tussen de menigte op het trottoir begaf.

Behalve dat ze wilde huilen, wist ze niet echt wat ze voelde. Ze probeerde er de hele weg naar huis achter te komen, tot ze, terwijl ze de trap op liep, ontdekte dat het een enorm gevoel van opluchting was.

Toen de oorlog in Europa nog maar net voorbij was kwam een jonge matroos van de koopvaardij de boekwinkel in en begon tegen haar te praten alsof hij haar al zijn hele leven kende. Zijn vingernagels waren rafelig en zwart, maar hij kon uit zijn hoofd hele stukken Milton en Dryden en Pope citeren zonder dat hij zich leek uit te sloven: je had aan boord tijd zat om te lezen, zei hij. Hij droeg een zwarte trui die te warm leek voor de tijd van het jaar en had een blonde kop met haar en een groot, knap gezicht van een type dat ze bij zichzelf 'Scandinavisch' noemde. Hij stond daar te praten en leunde van zijn ene been op zijn andere terwijl hij een stapel boeken tegen zijn heup geklemd hield en ze had sterk de neiging hem met haar handen aan te raken. Ze was bang dat hij de winkel zou verlaten zonder haar mee uit te vragen, en dat had hij ook bijna gedaan – hij zei 'Nou, tot ziens dan maar,' en hij draaide zich al half om, maar toen draaide hij zich weer terug en zei 'Hé, moet je horen, hoe laat ben je vrij?'

Hij logeerde in een vervallen hotel in Hell's Kitchen – het duurde niet lang of ze kende dat hotel van binnen en van buiten, vanaf de stank van pis en ontsmettingsmiddelen in de hal tot aan de langzame liftkooi tot aan het versleten groene tapijt in zijn kamer – en zijn schip lag voor uitgebreide reparatiewerkzaamheden in de Brooklyn Navy Yard, hetgeen inhield dat hij de hele zomer in New York zou zijn. Hij heette Lars Ericson.

Hij was hard en glad als ivoor en prachtig geproportioneerd; ze dacht aanvankelijk dat ze nooit genoeg van hem zou kunnen krijgen. Ze lag graag in zijn bed te kijken hoe hij naakt door de kamer liep; hij deed haar aan Michelangelo's 'David' denken. Hij had puistenbobbeltjes achter in zijn nek en die uitzwermden over zijn schouders, maar als ze een heel klein beetje scheel keek zag ze die niet.

'...En je bent echt helemaal niet op school geweest?'

'Natuurlijk wel. Dat heb ik je toch verteld; ik ben tot en met de junior high gekomen.'

'En je spreekt echt vier talen?'

'Dat heb ik nooit gezegd. Vloeiend spreek ik alleen Frans en Spaans. Mijn Italiaans is heel oppervlakkig, heel primitief.'

'Godbewaarme, je bent fantastisch. Kom hier...'

Ze hoopte dat hij misschien schilder of schrijver zou willen worden – ze zag hem al voor zich terwijl hij, à la Eugene O'Neill, in een door de wind geteisterde strandbungalow aan het werk was terwijl zij tot aan haar dijen door de branding waadde om voor hun avondeten mosselen en andere schelpdieren te verzamelen en boven haar de meeuwen krijsten – maar hij vond matroos zijn allang best. Hij hield van de vrijheid die het gaf, zei hij.

'Jawel, maar, wat doe je met die vrijheid?'

'Je hoeft er niet per se iets mee te "doen". Het is de bestaansvrijheid.'

'O. Ik begrijp het. Tenminste, ik geloof van wel.'

Ze dacht een heleboel te begrijpen in die sensuele, inspirerende zomer met Lars Ericson. Ze dacht te begrijpen dat haar studie verspilde tijd was. Misschien was ieders studie wel verspilde tijd. En misschien had dat iets te maken met de tragedie van een man als Andrew Crawford: hij had zijn leven gewijd aan de academische wereld – niet alleen zijn geest, maar zijn leven – en daardoor was zijn mannelijkheid verschrompeld.

Hoe dan ook, met Lars Ericsons mannelijkheid was niets mis. Die groeide als een krachtige boomtak uit zijn lichaam; die porde en stootte en dook in haar, bracht haar langzaam en gelijkmatig tot een lang volgehouden delirium dat alleen met een schreeuw tot uitdrukking kon worden gebracht; het liet haar zwak en hijgend achter met het gevoel een vrouw te zijn die op meer wachtte.

Toen ze op een avond uitgeput bij hem in bed lagen werd er op de deur geklopt en riep de stem van een jonge jongen 'Lars? Ben je thuis?'

'Ik ben thuis,' riep hij terug, 'maar ik heb het druk. Ik heb bezoek.'

'O.'

'Zie je morgen, Marvin,' zei hij. 'Of misschien niet morgen, maar nou ja; ik zie je nog wel.'

'Oké.'

'Wie was dat?' vroeg ze toen de voetstappen weggingen.

'Gewoon een joch van het schip. Hij komt hier graag af en toe een potje schaken. Ik heb een beetje medelijden met hem; hij is hier helemaal alleen, heeft weinig omhanden.'

'Laat hij een meisje zoeken.'

'Daar is hij volgens mij te verlegen voor. Hij is pas zeventien.'

'Ik wil wedden dat jij op die leeftijd niet te verlegen was. Of nee, wacht eens even... ik wil wedden dat je verlegen was, maar dat de meisjes je niet met rust lieten. En niet alleen meisjes... oudere vrouwen. Chique, mondaine oudere vrouwen die in penthouses woonden. Heb ik gelijk? En die namen je mee naar boven, naar hun penthouse, en trokken je met hun tanden al je kleren uit en likten met hun tong je hele borstkas af, en ze knielden voor je en smeekten om je. Heb ik gelijk? Zo was het toch?'

'Ik weet het niet. Je hebt niet zo'n beetje fantasie, Emily.'

'Jij wakkert mijn fantasie aan; jij stimuleert mijn fantasie. Kom, stimuleer me. Stimuleer me.'

Op een middag verscheen hij in haar appartement in een goedkoop, nieuw, glanzend lichtblauw pak met dikke schoudervullingen – de jongens op Columbia zouden het van hun leven niet aantrekken, maar dat maakte het alleen maar leuker – en zei dat hij voor die avond een auto geleend had. Had ze zin naar Sheepshead Bay te rijden en daar aan de kust iets te gaan eten?

'Dat lijkt me enig. Van wie heb je die auto te leen?'

'O, een vriend. Iemand die ik ken.'

Tijdens de lange rit door Brooklyn leek hij met zijn gedachten ergens anders. Hij stuurde met zijn ene hand en pulkte met de andere aan zijn mond, trok daarbij steeds weer zijn onderlip naar voren en liet die dan weer tegen zijn tanden schieten, en hij zei bijna geen woord tegen haar. Ze had gehoopt dat ze in het restaurant naast elkaar zouden zitten, zodat hij zijn arm om haar heen kon slaan en ze onder het eten voortdurend met elkaar konden mompelen en lachen; maar ze zaten ze tegenover elkaar aan een grote tafel in het midden van een met zaagsel bestrooide vloer.

'Is er hier in de buurt iets,' informeerden ze, 'waar we na het eten kunnen gaan dansen?'

'Niet dat ik weet,' zei hij met zijn mond vol kreeft.

Het eten lag haar tijdens de hele weg naar huis zwaar op de maag – de gebakken aardappelen waren te vet geweest – en Lars verbrak zijn zwijgen pas toen hij bij haar studentenflat een parkeerplaats had gevonden. Toen zei hij, in die nu stille auto gezeten terwijl hij recht door de voorruit keek: 'Emily, we moeten elkaar geloof ik maar niet meer zien.'

'O? Waarom niet?'

'Omdat ik niet tegen mijn aard in moet gaan. Je bent heel aardig en we hebben het heel fijn gehad, maar ik moet ook aan mezelf denken.'

'Ik leg je geen beperkingen op, Lars. Je bent zo vrij als een...'

'Ik zei niet dat je me beperkingen oplegt. Ik zei alleen dat ik niet tegen mijn aard in moet gaan... het punt is, Emily, er is iemand anders.'

'O? Wat is ze voor iemand?'

'Het is geen meisje,' zei hij, alsof dat de zaak eenvoudiger maakte, 'het is een man. Ik ben biseksueel, snap je wel.'

Al het vocht verdween uit haar mond. 'Homoseksueel, bedoel je?'

'Natuurlijk niet; je zou beter moeten weten. Ik zei bíseksueel.'

'Komt dat niet op hetzelfde neer?'

'Nee, allesbehalve.'

'Maar je houdt meer van mannen dan van vrouwen.'

'Ik hou van allebei. Ik had met jou de ene soort ervaring; ik heb nu het gevoel dat ik aan de andere toe ben.'

'Ik begrijp het,' zei ze. Wanneer zou ze nu eindelijk afleren om van iets 'Ik begrijp het' te zeggen als ze er niets van begreep?

Hij bracht haar naar de deur en ze bleven tegenover elkaar op het trottoir staan, een meter van elkaar af.

'Het spijt me dat er zo een eind aan moet komen,' zei hij. Hij zette zijn hand laag op zijn heup en staarde de straat in zodat ze zijn profiel kon bewonderen, en hij leek, zelfs in dat afschuwelijke pak, meer dan ooit op Michelangelo's 'David'.

'Tot ziens,' zei ze.

Nooit meer seks, beloofde ze zichzelf terwijl ze boven steeds weer met haar vuist in haar kussen stompte. Ze zou mannen ontmoeten, ze zou met hen uitgaan en lachen en dansen en verder alles doen wat er van je verwacht werd, maar geen seks meer tot – nou ja, tot ze volkomen zeker wist wat ze deed.

Ze verbrak in november haar belofte met een hologige rechtenstudent die zei dat hij communist was, en verbrak haar in februari weer met een geestige jongen die drumde in een jazzcombo. De rechtenstudent belde haar niet meer omdat ze volgens hem 'ideologisch niet zuiver op de graat' was en de drummer bleek nog drie meisjes te hebben.

Toen was het weer lente. Ze stond op het punt af te studeren zonder dat ze enig idee had wat ze met haar leven zou doen, en het was bijna zover dat Andrew Crawford zijn psychoanalytische verbanning zou beëindigen.

'Emily?' vroeg hij op een avond aan de telefoon. 'Ben je alleen?'

'Ja. Dag, Andrew.'

'Ik kan je niet zeggen hoe vaak ik met het draaien van dit nummer begonnen ben en bij het zevende cijfer opgehouden. Maar je bent er echt. Ik praat echt met je. Moet je horen: ik moet, voor ik nog meer zeg, dit weten. Ben je... heb je een man?'

'Nee.'

'Dat is bijna te mooi om... daarop durfde ik haast niet te hopen.'

Ze ontmoette hem de volgende middag in het West End. 'Twee bier,' zei hij tegen de kelner. 'Of nee, wacht even. Twee zeer droge martini, extra dry.'

Hij zag er ongeveer hetzelfde uit – misschien een beetje dikker; ze kon het niet met zekerheid zeggen – en zijn gezicht straalde van de nerveuze spanning.

'...Niets is vervelender dan over andermans psychoanalyse horen vertellen,' zei hij, 'dus zal ik je dat besparen. Laat me alleen zeggen dat het een overweldigende ervaring is. Moeilijk, pijnlijk... mijn God, het is haast niet voor te stellen hoe pijnlijk... maar een overweldigende ervaring. Ik ga misschien nog een paar jaar door, maar ik heb het ergste gehad. Ik voel me echt veel beter. De wereld is voor mij niet meer vol verschrikkingen. Ik heb het gevoel dat ik voor het eerst van mijn leven weet wie ik ben.'

'Tjee, Andrew, wat heerlijk voor je.'

Hij nam een gulzige slok van zijn martini en liet zich met een zucht aan het tafeltje achteroverzakken terwijl hij terloops een hand op haar dij legde. 'En hoe is het met jou?' vroeg hij. 'Hoe was jouw jaar?'

'O, ik weet niet. Gaat wel.'

'Ik had gezworen dat ik je dit niet zou vragen,' zei hij, 'maar nu ik je verrukkelijke dij in mijn hand heb moet ik het weten. Hoeveel verhoudingen heb je gehad?'

'Drie.'

Hij huiverde. 'Mijn God. Drie. Ik was bang dat je acht of tien zou zeggen, maar drie is op de een of andere manier erger. Drie wijst op echte, belangrijke verhoudingen. Het wijst erop dat je van drie verschillende mannen gehouden hebt.'

'Ik weet niet wat houden van is, Andrew. Dat heb ik je al een keer gezegd.'

'Dat heb je verleden jaar tegen me gezegd. En je weet het nog steeds niet? Nou ja, mooi; dat is dan toch iets. Want ik weet wel wat houden van is, begrijp je, en ik zal net zo lang op je inwerken tot jij het ook weet. Mijn God, moet je mij horen... "op je inwerken". Dat klinkt alsof ik daarmee... mijn God, sorry.'

'Je hoeft je niet te verontschuldigen.'

'Weet ik. Dat zegt dr. Goldman ook steeds. Hij zegt dat ik van mijn leven niet anders gedaan heb dan me verontschuldigen.'

Daarna volgden in het Griekse restaurant nog meer martini's, en wijn bij het eten, en toen ze op weg gingen naar haar huis leek hij een beetje dronken. Ze wist niet of dat een goed of een slecht teken was.

'Dit vertoont inmiddels alle aspecten van een belangrijk sportevenement,' zei hij, toen ze bij de stoeptreden voor haar huis kwamen. 'Een titelgevecht boksen of zoiets. De uitdager is al een jaar in training; zal het hem deze keer lukken? Blijf luisteren tot de eerste ronde, nu volgt eerst een mededeling...'

'Niet doen, Andrew.' Ze sloeg haar arm om zijn brede rug. 'Dit is heel iets anders. We gaan gewoon naar boven en vrijen met elkaar.'

'O, je bent zo lief. Je bent zo lief en natuurlijk en aardig.'

Ze probeerden het urenlang – ze probeerden alles – en het was niet beter dan de beste keer van vorig jaar. Ten slotte zat hij in elkaar gezakt, met hangend hoofd, als op het krukje van een bokser op de rand van het bed.

'Tja,' zei hij. 'Verloren door technisch knock-out in de vierde ronde. Of was het pas de derde? Jij wint en houdt de titel.'

'Niet doen, Andrew.'

'Waarom niet? Ik probeer alleen maar om het luchtig op te vatten. Zo kunnen de sportverslaggevers tenminste schrijven dat ik mijn verlies goed opnam.'

En de volgende avond noteerde hij een overwinning. Het was niet perfect – ze reageerde op de climactische momenten niet zo ten volle als ze had moeten doen, wist ze – maar het was wat een auteur van een seksuele handleiding een adequate prestatie zou noemen.

'...O, Emily,' zei hij toen hij weer bij adem was, 'o, was het de eerste keer, verleden jaar, maar zo gegaan in plaats van al die rotavonden dat we...'

'Ss-sst.' Ze streelde zijn schouder. 'Dat is nu allemaal verleden tijd.'

'Zo is het,' zei hij. 'Allemaal verleden tijd. We gaan nu aan de toekomst denken.'

Ze trouwden vlak na Emily's afstuderen, met een burgerlijke plechtigheid op het gemeentehuis. De enige aanwezigen, of getuigen, waren een getrouwd jong stel, mensen die Kroll heetten, kennissen van Andrew. Na afloop liepen ze door het City Hall Park voor wat mevrouw Kroll absoluut het 'bruiloftsmaal' wenste te noemen, en even later bevond Emily zich in een van de drukke lunchrestaurants waar ze lang geleden wel met haar vader kwam.

Ze vertelden het eerst elk aan hun moeder. Pookie huilde aan de telefoon, zoals Emily van tevoren geweten had, en liet hen beloven de volgende avond bij haar op bezoek te komen. Andrews moeder, die in Englewood, New Jersey, woonde, nodigde hen uit voor de volgende zondag.

'...Wat een aardige man, lieverd,' zei Pookie, toen ze Emily in het benauwde keukentje in Lower Manhattan klem had gezet terwijl Andrew in de kamer ernaast met kleine teugjes koffie zat te drinken. 'Ik was eerst een beetje... nou ja, bang voor hem, maar als je hem leert kennen is hij echt ontzettend aardig. En ik ben dol op die soortement plechtige manier van praten van hem; hij is vast érg intelligent...'

Andrews moeder was ouder dan Emily verwacht had, een blauwharige, gerimpelde, gepoederde vrouw die knielange steunkousen droeg. Ze zat met drie witte Perzische katten op een gebloemde bank, in een kamer die naar recent stofzuigen rook, en knipperde als ze naar Emily keek steeds weer met haar ogen alsof ze anders zou vergeten dat die er was. In een lichte, bedompte serre die de 'muziekkamer' heette stond een piano, en er hing een ingelijst studioportret van Andrew waarop hij acht of negen was en een matrozenpakje aanhad en met een klarinet op zijn mollige schoot op de pianokruk zat. Mevrouw Crawford sloeg de klep open en keek haar zoon smekend aan. 'Speel iets voor ons, Andrew,' zei ze. 'Heeft Emily je wel eens horen spelen?'

'Moeder, alstublieft. U weet dat ik niet meer speel.'

'Je speelt als een engel. Soms, als er Mozart of Chopin op de radio is, doe ik gewoon mijn ogen dicht' – ze deed haar ogen dicht – 'en stel me voor dat je hier zit... hier, aan deze piano.'

Ten slotte gaf hij toe: hij speelde een korte keuze uit Chopin en zelfs Emily kon horen dat hij het afraffelde, dat hij expres slordig leek te spelen.

'Mijn God!' zei hij toen ze weer in de trein naar New York zaten. 'Het kost me elke keer dat ik daarheen ga dagen om weer bij te komen... hele dagen om weer zover te komen dat ik alleen maar kan ádemen...'

Er bleef nog één bezoek over – aan Sarah en Tony in St. Charles – en ze stelden het uit tot aan het eind van de zomer, toen Andrew een tweedehands auto had gekocht.

'Zo,' zei hij terwijl ze te hard over de brede verkeersweg van Long Island reden. 'Nu zal ik dan eindelijk die mooie zuster en die zwierige, romantische zwager van je leren kennen. Ik heb zo'n gevoel alsof ik ze al jaren ken.'

Hij was nors en prikkelbaar, en ze wist waarom. Zijn seksuele prestaties waren de hele zomer adequaat geweest, met zo nu en dan een misser, maar de laatste tijd viel hij – zo ongeveer sinds een week – terug in zijn gewoontegetrouw niet-kunnen. Gisteravond had hij tegen haar been een voortijdige zaadlozing gehad en daarna had hij in haar armen gehuild.

'Is hij onder dienst geweest?'

'Wie?'

'Laurence Olivier. Wie dacht je dan dat ik bedoelde?'

'Dat heb ik je toch verteld,' zei ze. 'Hij werd opgeroepen voor de Marine maar ze hebben hem als tijdelijk marinepersoneel weer bij Magnum tewerkgesteld.'

'Nou, dan heeft hij gelukkig niet de Silver Star met veertien Oakleaf Clusters voor de bestorming van de stranden van Normandië,' zei Andrew '...dát soort avond wordt ons dan toch bespaard.'

Het viel niet mee om aan de hand van de ragfijne lijnen op de wegenkaart St. Charles te vinden, maar toen ze eenmaal in het dorp waren zag Emily voldoende oriëntatiepunten (WORMEN EN MADEN) om Andrew de weg naar het huis van de Wilsons te wijzen. Naast de oprijlaan stond een handbeschilderd bordje HOGE HAGEN en ze herkende in de letters Sarahs handschrift.

De Wilsons junior zaten op het grasveld voor hun huis op een deken terwijl in de namiddagzon hun drie zoons met onvaste stappen om hen heen kwetterden; ze gingen zo in elkaar op dat ze de komst van hun gasten niet opmerkten.

'Ik wou dat ik een fototoestel had,' riep Emily. 'Het zou een pracht van een foto worden zoals jullie daar zitten.'

'Emmy!' Sarah sprong op en kwam met uitgestoken armen over het hellichte gras naar hen toe. 'En jij bent Andrew Crawford... ontzettend leuk om je te leren kennen.'

Tony's begroeting was minder uitbundig – zijn glimlachende ogen, met rimpeltjes bij de ooghoeken, leken eerder geamuseerd dan blij, alsof hij dacht Moet ik me voor die kerel nou echt zo uitsloven? Alleen omdat hij met het kleine zusje van mijn vrouw is getrouwd? – maar hij drukte Andrew toch wel stevig de hand en slaagde erin de juiste woorden te mompelen.

'Ik wist niet eens dat Eric al líép,' zei Emily.

'Ja hoor,' zei Sarah. 'Hij is al bijna anderhalf. En dat daar is Peter, die met de koekkruimels op zijn gezicht, en die grote is Tony junior. Die is drie-en-een half. Hoe vind je ze?'

'Het zijn prachtige kinderen, Sarah.'

'We waren hier nog even in de laatste zon gaan zitten,' zei Sarah, 'maar nu gaan we naar binnen. Het is cocktailtijd. Lieverd? Misschien wil jij even de deken uitschudden? Hij zit onder de koekkruimels.'

Cocktailtijd in de zorgvuldig aan kant gemaakte woonkamer betekende dat de Crawfords met een verstarde glimlach moesten toekijken hoe de Wilsons bij de eerste slok hun oude vertrouwde Anatole-gedoe met de verstrengelde armen opvoerden. Daarna leek het lang te duren voor de stemming erin kwam. Schaduwen op de grond werden langer en de ramen op het westen werden stralend goud en nog steeds waren ze alle vier stijfjes en verlegen. Zelfs Sarah was minder spraakzaam dan normaal: ze vertelde geen breedvoerige anekdotes en op een paar onhandig uitgedrukte vragen over Andrews werk na leek ze geremd in zijn aanwezigheid, alsof ze bang was om op zo'n geleerde man een banale indruk te maken.

'Filosofie,' zei Tony terwijl hij de ijsblokjes in zijn glas liet ronddraaien. 'Ik ben bang dat het hele gebied me nogal een raadsel is. Moet een verdomd moeilijke studie zijn, laat staan als je het wilt doceren. Hoe pak je zoiets aan?'

'Ach,' zei Andrew, 'wat zal ik zeggen; als we er toch staan proberen we die rotschoffies iets bij te brengen.'

Tony gniffelde goedkeurend en Sarah keerde hem haar lachende gezicht toe alsof ze zeggen wilde Zie je nu wel? Zie je nu wel? Ik zéí toch dat Emmy heus niet met een griezel trouwt.

'Zeg, gaan we vandaag eigenlijk nog eten?' informeerde Tony.

'Nog één sigaret,' zei Sarah. 'Dan stop ik de jongens in bed en daarna gaan we eten.'

Het kleine braadstuk was veel te gaar, net als de groente, maar Andrew was gewaarschuwd op het gebied van eten niet te veel te verwachten. Het begon ernaar uit te zien dat het toch nog voor iedereen een geslaagd bezoek zou worden, tot ze na de koffie weer naar de woonkamer gingen.

Daar werd nog meer gedronken, in grotere glazen, en dat was misschien voor een deel de moeilijkheid: Andrew was niet aan zo veel drank gewend en begon een beetje al te serieus een Joegoslavische film met het predicaat 'filmhuis' aan te bevelen die Emily en hij gezien hadden. 'Ik begrijp niet hoe iemand er niet door ontroerd zou kunnen worden,' besloot hij, 'iemand die in de mensheid gelooft, dan.'

Tony had er het grootste deel van het relaas slaperig bij gezeten, maar de laatste zin schudde hem wakker. 'Ik geloof best in de mensheid,' zei hij. 'Ik vind de mensheid prima in orde.' En zijn mond kreeg een subtiel trekje van o-wat-ben-ik-geestig om uit te drukken dat je bij zijn volgende opmerking zou schuddebuiken van de lach. 'Behalve rotjoden, roetmoppen en roomsen dan.'

Sarah was vooruitlopend op wat hij zeggen zou al in de lach geschoten, maar toen ze hoorde wat hij zei hield ze op met lachen en sloeg haar ogen neer zodat het smalle blauwwitte littekentje van de gymnastiekstang van lang geleden zichtbaar werd. Er viel een onbehaaglijke stilte.

'Heb je dat op die Engelse kostschool van je geleerd?' informeerde Andrew.

'Mm?'

'Ik vroeg Hebben ze je dat op die Engelse kostschool van je geleerd? Hoe je zoiets zeggen moet?'

Tony knipperde verbijsterd met zijn ogen; toen mompelde hij iets onverstaanbaars – het kon 'Toe nou, zeg' of 'Sorry' zijn, of het kon geen van beide zijn – en staarde met een afgemat glimlachje naar zijn glas ten teken dat hij deze ergerlijke onzin volledig zat was.

Op de een of andere manier werden de omgangsvormen enigszins hersteld. Ze worstelden zich door een ceremonie van kletspraatjes en glimlachjes en welterustens en daarna waren ze vrij.

'De landjonker,' zei Andrew, die met twee handen stevig het stuur omklemde terwijl ze over de autoweg naar huis zoemden. 'Grootgebracht te midden van de Engelse haute bourgeoisie. Hij is "zo goed als ingenieur". Hij woont op een landgoed dat Hoge Hagen heet. Hij heeft bij zijn beeldschone vrouw drie zoons verwekt, en hij maakt zo'n opmerking als daarnet. Hij is een neanderthaler. Een vuile fascist.'

'Het was onvergeeflijk,' zei Emily. 'Volstrekt onvergeeflijk.'

'O, en het was trouwens waar wat je me vertelde,' vervolgde Andrew, 'ze lezen echt alleen de *Daily News*. Toen ik naar de wc ging kwam ik langs een ongeveer meter hoge stapel *Daily News* – het enige bonafide leesvoer in die hele tortelende duiventil.'

'Weet ik.'

'Ja, maar je houdt van hem, waar of niet?'

'Hè? Hoe bedoel je? Ik "houd" niet van hem.'

'Dat heb je me verteld,' zei Andrew. 'Dat kun je nu niet terugnemen. Je hebt verteld dat toen ze net verloofd waren, dat je toen fantasieën over hem had. Je had fantasieën dat hij eigenlijk van jou hield.'

'Toe nou, Andrew.'

'En ik kan me voorstellen wat je deed om die fantasieën... om die zogezegd te belichamen. Ik wil wedden dat je, met hem in gedachten, masturbeerde. Waar of niet? O ja, ik wil wedden dat je je tepeltjes kietelde tot ze hard rechtop stonden, en daarna...'

'Hou op, Andrew.'

'...en daarna kwam je clitoris aan de beurt... terwijl je hem al die tijd in gedachten voor je had, je voorstelde wat hij zeggen zou en hoe hij zou voelen en wat hij met je doen zou... en daarna deed je je benen uit elkaar en stak je een paar vingers in je...'

'Ik wil dat je hiermee ophoudt, Andrew. En als je hier niet mee ophoudt doe ik het portier open en stap ik uit en...'

'Oké.'

Ze dacht dat hij van woede te hard zou rijden, maar hij hield de auto zorgvuldig onder de maximumsnelheid. In het vage blauwe licht van het dashboard was zijn profiel verkrampt tot het gezicht van een man die zich gesteld voor een onmogelijke taak niettemin beheerst. Ze draaide zich van hem af en bleef een hele tijd uit het raampje staren terwijl ze naar het langzaam bewegen van de oneindige donkere vlakte en hoog in de verte het rode pulseren van lichten van zendmasten keek. Lieten vrouwen zich wel eens na minder dan één huwelijksjaar van hun man scheiden?

Hij zei pas weer iets toen ze over Queensboro Bridge gereden waren, toen ze dwars door het verkeer moeizaam de West Side bereikt hadden en afgeslagen waren naar het noorden, op weg naar huis. Toen zei hij 'Zal ik je eens iets zeggen, Emily? Ik haat je lichaam. Ik zal er ook wel van houden, hoor, dat wil zeggen, God weet dat ik het probeer, maar tegelijkertijd haat ik het. Ik haat wat het me vorig jaar heeft laten doormaken... wat het me nu laat doormaken. Ik haat je gevoelige tietjes. Ik haat je kont en je heupen, zoals ze bewegen en draaien; ik haat je dijen, zoals ze uit elkaar gaan. Ik haat je taille en je buik en je grote harige heuvel en je clitoris en je hele glibberige kut. Ik zal morgen deze uiteenzetting precies zo tegen dr. Goldman herhalen en dan zal hij vragen waarom ik dat gezegd heb en dan zal ik zeggen omdat ik niet anders kon. Begrijp je nu wel, Emily? Begrijp je wel. Ik zeg dit omdat ik niet anders kan. Ik haat je lichaam.' Zijn wangen trilden. 'Ik haat je lichaam.'

Deel 2

Hoofdstuk 1

Na haar scheiding van Andrew Crawford werkte Emily een paar jaar als bibliothecaresse bij een makelaardij in Wall Street. Toen kreeg ze een andere baan; ze kwam bij de redactie van een tweewekelijks vakblad dat *Food Field Observer* heette. Het was prettig, niet veeleisend werk, mededelingen en artikelen schrijven voor de levensmiddelenindustrie; als ze snel en goed een kop schreef, zodat die meteen de eerste keer de beschikbare ruimte vulde –

TOPVERKOOP

HOTEL BAR BOTER

VERDRINGT MARGARINE

– dacht ze soms aan haar vader. Er was altijd een vage kans dat de baan tot werk bij een echt tijdschrift zou leiden, en wie weet was dat leuk; bovendien had ze op Barnard geleerd dat een studie vrije kunsten niet het oefenen maar het bevrijden van de geest beoogde. Het maakte niet uit wat voor werk je deed; het ging erom wat je voor iemand was.

En het grootste deel van de tijd beschouwde ze zichzelf als een afgeronde persoonlijkheid met verantwoordelijkheidsgevoel. Ze woonde nu in Chelsea, in een appartement met hoge ramen die uitkeken op een rustige straat. Ze had er met geringe moeite iets 'interessants' van kunnen maken, als dat soort dingen haar belangrijk genoeg had geleken om zich er druk over te maken; het was in elk geval groot genoeg om er feestjes te geven, en ze hield van feestjes. Het was bovendien een knus tijdelijk huisje voor twee, en er kwamen in die periode aardig wat mannen voorbij.

Ze had binnen twee jaar twee keer een abortus. Het eerste zou het kind geweest zijn van een man die ze niet zo erg mocht en het voornaamste probleem met het tweede was dat ze niet zeker kon weten van wie het geweest zou zijn. Na die tweede abortus bleef ze een week thuis van haar werk, lag ze in haar eentje thuis te luieren of maakte onzekere, pijnlijke wandelingen door de lege straten. Ze overwoog naar een psychiater te gaan – ze kende wel meer mensen die naar een psychiater gingen – maar dat zou te duur zijn en loonde misschien niet de moeite. Bovendien had ze een heilzamer idee. Ze installeerde op een lage, stevige tafel in haar appartement de draagbare schrijfmachine die ze van haar vader voor haar eindexamen gekregen had en begon aan een tijdschriftartikel.

ABORTUS: VANUIT HET OOGPUNT VAN EEN VROUW

De voorlopige titel beviel haar, maar ze kon niet besluiten wat de openingsalinea zou moeten worden, of wat ze geleerd had een 'lead' te noemen.

> Het is pijnlijk, gevaarlijk, 'immoreel' en illegaal, maar niettemin laten zich in Amerika elk jaar meer dan .... miljoen vrouwen aborteren.

Dat klonk wel aardig, maar het verplichtte haar tot een aanmoedigende houding die ze op de een of andere manier het hele artikel zou moeten handhaven.

Ze probeerde het met een andere aanpak.

> Ik had, zoals veel meisjes van mijn leeftijd, altijd aangenomen dat abortus iets vreselijks is – iets dat je, als je het dan toch doet, benadert met een angst en beven die zijn voorbehouden aan een afdaling naar de buitenste kringen van de hel.

Dat klonk al beter, maar ze was er niet tevreden over, ook niet nadat ze 'meisjes' in 'vrouwen' had veranderd. Er was iets mis mee.

Ze besloot de openingsalinea voorlopig over te slaan en zich op het artikel zelf te storten. Ze schreef in vele uren vele alinea's, rookte vele sigaretten die ze zonder het te merken opstak en doofde. Daarna las ze het met een potlood in de hand nog eens door, krabbelde gecorrigeerde versies in de kantlijn en soms op hele vellen papier ('corr. A, al. 3, p. 7'), en had het dronken makende gevoel dat ze haar roeping gevonden had. Maar 's ochtends, na een onrustige nacht, lag het script daar in een slordige stapel op haar te wachten, en ze moest met de koel-kritische blik van een redacteur toegeven dat het tamelijk slecht te lezen was.

Toen haar week ziekteverlof voorbij was ging ze weer naar kantoor, dankbaar voor het ordelijke ritme van een achturige werkdag. Ze werkte nog een paar avonden en het grootste deel van een weekend aan het abortusartikel, maar ten slotte stopte ze het in een kartonnen doos die ze 'mijn dossiers' noemde en borg de schrijfmachine weg. Ze zou de tafel nodig hebben voor feestjes.

Toen was het plotseling 1955, en ze was dertig.

'...En het is natuurlijk prima dat je carrière wilt maken,' zei haar moeder op een van de zeldzame en vreeswekkende avonden dat Emily bij haar ging eten. 'Ik zou willen dat ík op jouw leeftijd een bevredigende carrière gevonden had. Maar ik vind eigenlijk...'

'Het is geen "carrière"; het is gewoon een baan.'

'Nou, zoveel reden te meer dan. Ik vind het eigenlijk tijd worden dat je... o, ik zal niet zeggen "een geregeld leven gaat leiden"; God weet dat ík nooit een geregeld leven heb geleid; ik bedoel gewoon...'

'Trouw weer. Krijg kinderen.'

'Nou ja, is dat zo gek? Ken je dan geen enkele jongeman met wie je zou willen trouwen? Sarah zei dat Tony en zij de vorige die je had meegebracht echt een enige man vonden; hoe heette hij ook weer? Fred zus-of-zo?'

'Fred Stanley.' Hij was haar na een paar maanden onverdraaglijk gaan vervelen; ze had hem alleen maar in een opwelling meegenomen naar St. Charles, omdat hij zo'n toonbaar type was.

'O, ik weet het, ik weet het,' zei Pookie met een levensmoede glimlach en nam de eerste hap van haar afgekoelde spaghetti; ze had nu een volledig vals gebit, hetgeen haar glimlach er een stuk beter op maakte. 'Het gaat me niet aan.' Wat haar wel aanging kwam later op de avond ter sprake, nadat ze te veel gedronken had: het was een klacht die Emily al heel vaak had gehoord. 'Weet je dat het al meer dan een half jaar geleden is dat ik voor het laatst in St.

Charles was? Sarah nodigt me nooit uit. Ze nodigt me nooit uit. En ze wéét hoe heerlijk ik het daar vind, hoe heerlijk ik het vind om bij de kinderen te zijn. Ik bel elke zondag op en dan zegt ze "En dan wil je nu zeker de jongens spreken", en ik vind het natuurlijk heerlijk om ze te spreken, hun stem te horen... vooral die van Peter, hij is mijn lievelingetje... en dan, als we zijn uitgepraat, komt ze weer aan de lijn en zegt "Dit kost je een vermogen, Pookie, denk aan je telefoonrekening, alsjeblieft." En dan zeg ik "Wat kan mij die telefoonrekening schelen, ik wil met jóú praten," maar ze nodigt me nooit uit. En de enkele keer, de heel enkele keer dat ik het zelf voorstel, zegt ze "Ik ben bang dat volgende week ongelegen komt, Pookie." Há. "Ongelegen"...'

Er zat een kwijlstroompje spaghettisaus op haar moeders kin en Emily moest zich beheersen om niet op te staan en het af te vegen.

'...En als ik dan bedénk; als ik dan bedénk dat toen Tony onder dienst was en die drie kinderen alle drie nog in de luiers zaten, hoe ik toen week in week uit gekookt en geschrobd heb, en de verwarmingsketel deed het de halve tijd niet en de pomp ook niet, en we moesten bij het grote huis water halen... heeft iemand toen gevraagd of dat mij "ongelegen" kwam?' En ze benadrukte wat ze zeggen wilde door uitdagend de lange askegel van haar sigaret op de grond te tikken en nog een slok uit haar vettige whisky-sodaglas vol vingerafdrukken te nemen. 'Ik kan natuurlijk altijd Geoffrey bellen; die begrijpt zoiets. Edna en hij zullen me ongetwijfeld uitnodigen, maar toch...'

'Waarom doe je dat niet?' vroeg Emily, terwijl ze onderzoekend op haar horloge keek. 'Geoffrey bellen, misschien vraagt hij dan wel of je het weekend daar komt.'

'Wat zal ik zeggen, nou ja, je kijkt op je horloge. Goed. Goed. Ik weet het. Je moet terug naar je werk en je feestjes en je mannen en wat het dan ook is, dat je verder nog doet. Ik weet het. Je gaat maar.' En Pookie gaf haar met een beweging van haar vochtige sigaret verlof om te gaan. 'Je gaat maar,' zei ze. 'Je gaat maar; vooruit, ga.'

De daaropvolgende lente vertrok de directeur-hoofdredacteur van de *Food Field Observer* en kwam zijn baan vrij, en Emily dacht een paar dagen dat ze misschien promotie zou maken, maar ze namen een man van een jaar of veertig in dienst die Jack Flanders heette. Hij was heel lang en mager, met een triest, gevoelig gezicht, en Emily bleek haar ogen niet van hem af te kunnen houden. Zijn kamer was door een glazen wand van de hare gescheiden: ze kon hem boven zijn potlood of schrijfmachine zien fronsen, hem aan zijn telefoon een gesprek zien voeren, hem zien opstaan en als in gedachten verzonken uit zijn raam zien staren (en hij dacht vast niet aan het werk). Hij deed haar een beetje aan haar vader denken, lang geleden. Op een keer, toen hij telefoneerde, zag ze zijn lange smalle gezicht in zo'n glimlach van pure verrukking openbreken dat het alleen maar een vrouw kon zijn met wie hij praatte, en ze voelde een irrationele steek van jaloezie.

Hij had een donkere, volle stem en hij was heel hoffelijk. Als ze hem iets van werk bracht zei hij altijd 'Dank je, Emily' of 'Prima zo, Emily' en een keer zei hij 'Leuke jurk heb je aan,' maar hij leek haar nooit recht aan te kijken.

Op een dag met een deadline, toen iedereen moe en overwerkt was, maakte ze een manilla envelop open waarin zes glanzende foto's bleken te zitten, elk van een zo te zien ondiepe doos of schaal van poreuze witte karton. Elke doos was anders van proporties en elke foto was van een andere kant, met een andere belichting genomen om daarmee een afzonderlijk aspect van het ontwerp te benadrukken. Het persbericht dat erbij zat deed ademloos gewag van dingen als 'revolutionair concept' en 'hoogst originele benadering', maar ze haalde er de informatie uit dat vers vlees voortaan zo voor verkoop in de supermarkten zou kunnen worden verpakt. Ze schreef een artikel ter lengte van een halve kolom en een kop over twee kolommen; daarna tekende ze op vier van de foto's een afsnede op kolomformaat, schreef er een kort onderschrift bij en bracht het toen het af was allemaal naar Jack Flanders.

'Waarom zo veel foto's?' vroeg hij.

'Ze hebben er zes gestuurd; ik heb er maar vier gebruikt.'

'Mm,' zei hij fronsend. 'Waarom hebben ze er geen vlees in gelegd? Een paar karbonades of zo. Of er een hand bij gefotografeerd die het ding vasthoudt, zodat je een idee van de maten krijgt.'

'Mm.'

79

Hij bleef de foto's een hele tijd nauwkeurig bekijken. Toen zei hij 'Weet je, Emily?' En hij keek haar aan met het begin van dezelfde glimlach waartoe hij zich die keer dat zij het zag aan de telefoon had laten verleiden. 'Er zijn momenten dat een woord... één woord... duizend foto's waard is.'

Op momenten dat ze het zich later herinnerde kon ze het met hem eens zijn dat het eigenlijk niet zo grappig was geweest, maar op dat moment – en misschien kwam het gewoon door de manier waarop hij het zei – was haar lachbui niet te stuiten. Ze kwam niet meer bij; ze wankelde op haar benen; ze moest tegen zijn bureau leunen om overeind te blijven. Toen het voorbij was merkte ze dat hij haar met een verlegen, blij gezicht bekeek.

'Emily?' vroeg hij. 'Denk je dat je straks na het werk iets met me wilt gaan drinken?'

Hij was al zes jaar gescheiden. Hij had twee kinderen die bij hun moeder woonden, en hij schreef poëzie.

'Gepubliceerd?' vroeg ze.

'Drie keer.'

'In tijdschriften, bedoel je?'

'Nee, nee; dichtbundels. Drie dichtbundels.'

Hij woonde in een van die kleurloze huizenblokken in een zoveel-en-twintigste straat west, vlak om de hoek van Fifth Avenue, waar hier en daar woonblokken tussen de fabrieken en pakhuizen geperst staan, en zijn appartement was wat je Spartaans zou kunnen noemen, leek haar zo – geen vloerkleed, geen gordijnen, geen televisie.

Na hun eerste nacht samen, toen het overduidelijk leek dat juist deze lange, magere man precies het type was dat ze zich altijd gewenst had liep ze speurend, met zijn badjas aan, langs zijn boekenkasten tot ze bij drie dunne deeltjes met op de rug de naam John Flanders kwam. Hij was in de keuken koffie aan het zetten.

'Mijn God, Jack,' riep ze. 'Je hebt de Yale Younger Poet-prijs gekregen.'

'Ja, nou ja, het is een soort loterij,' zei hij. 'Ze moeten hem elk jaar aan iemand geven.' Maar zijn bescheidenheid klonk niet helemaal oprecht: ze kon merken hoe blij hij was dat ze de bundel gevonden had – anders had hij haar die vast wel laten zien.

Ze draaide hem om en las hardop een van de aanbevelingen: '"Bij John Flanders horen we een authentieke nieuwe stem, rijk aan wijsheid en hartstocht, en met een perfecte technische beheersing. Zijn gave stemt ons tot blijdschap." Wow.'

'Tja,' zei hij op dezelfde trots-bedeesde manier. 'Niet mis, hè? Je mag het wel lenen, als je dat graag wilt. Of eigenlijk wil ik het graag. De tweede bundel is ook wel aardig; waarschijnlijk minder dan de eerste, dat wel. Maar laat de derde in jezusnaam met rust. Rotgedichten zijn het. Niet te geloven hoe rot. Suiker en melk?'

Terwijl ze slokjes van hun koffie namen en uitkeken op de bruin met groene fabrieken en pakhuizen, zei ze: 'Wat doe jij bij een vakblad voor de lévensmiddelenindustrie?'

'Ik moet toch de een of andere baan hebben. En het is ontspannen werk, dat is belangrijk; ik kan het met mijn linkerhand doen en bij thuiskomst vergeten.'

'Dichters werken toch meestal op een universiteit?'

'Daar heb ik het mee gehad. Dat heb ik jaren langer gedaan dan ik ze tellen kan. Slijmen bij het hoofd van de vakgroep, met angst en beven op een vaste aanstelling wachten, de hele dag horden doodernstige, stompzinnige smoeltjes ontwijken en er de hele nacht door worden achtervolgd – en ten slotte ga je dan schoolse poëzie schrijven, dat is nog het ergste. Nee, dan ben ik bij de *Food Field Observer* beter af, schatje, geloof mij maar.'

'Waarom dien je geen aanvraag in voor een hoe-heet-het? Een Guggenheim?'

'Heb ik gehad. En een Rockefeller heb ik ook gehad.'

'Kun je zeggen waarom je derde bundel zulke rotgedichten zijn?'

'Ach, mijn leven was toen één grote rotzooi. Ik was net gescheiden, ik dronk te veel; ik zal wel gedacht hebben dat ik wist wat ik deed, in die gedichten, maar ik wist van voren niet dat ik van achteren leefde. Sentimenteel, toegevend aan al mijn stemmingen, vol zelfmedelijden – waardeloos materiaal. De laatste keer dat ik Dudley Fitts tegenkwam kon er met moeite een knikje af.'

'En hoe is je leven nu?'

'Nog steeds wel een rotzooitje denk ik, maar ik heb gemerkt dat je soms,' – hij wurmde zijn hand via de mouw van de badjas omhoog naar haar elleboog, die hij liefkoosde alsof het een erogene zone was – 'soms, als je het slim speelt, een aardig meisje leert kennen.'

Ze waren een week lang nooit zonder elkaar – ze sliepen bij hem of bij haar – en ze was nooit alleen genoeg om zijn eerste bundel te lezen, tot ze speciaal daarvoor een dag vrij nam.

De gedichten waren niet gemakkelijk te lezen. Ze had op Barnard veel hedendaagse poëzie gelezen en had het er in haar 'analyse' altijd redelijk goed vanaf gebracht, maar ze had het nooit voor haar genoegen gelezen. Ze las de vroege gedichten te snel door, kreeg alleen een indruk van de gedachte; erna moest ze terug naar het begin en elk gedicht aandachtig lezen om de structuur ervan tot zich te laten doordringen. De latere gedichten waren rijker, hoewel ze nog steeds de eigenschap hadden dat ze met Jacks stem gesproken leken, en het laatste deel van de bundel was bijna helemaal gewijd aan één lang gedicht, zo ingewikkeld en naar ze vermoedde met zo veel betekenisniveaus dat ze het drie keer moest lezen. Pas tegen vijven kon ze hem op kantoor bellen om te zeggen dat ze het een prachtige bundel vond.

'Echt, eerlijk?' Ze kon de verrukking op zijn gezicht bijna zien. 'Je zou toch niet zomaar wat lullen om aardig te zijn, hè Emily? Welke vond je de beste?'

'Ik vond ze allemaal goed, Jack. Echt waar. Even nadenken. Ik was weg van het gedicht dat "Viering" heette; ik moest er bijna om huilen.'

'O?' Hij klonk teleurgesteld. 'Tja, wat zal ik zeggen, een alleraardigst stukje lyrische poëzie, keurig volgens de regels, maar het heeft weinig om het lijf. Hoe vind je dat oorlogsgedicht, met de titel "Handgranaat"?'

'Ja, dat ook. Het heeft iets mooi... wrangs over zich.'

'Iets wrangs; dat is goed uitgedrukt. Dat was precies de bedoeling. En de enige belangrijke vraag zal wel zijn hoe je het laatste vond. Het lange gedicht.'

'Daar wilde ik het net over hebben. Het is prachtig, Jack. Het is heel, heel erg ontroerend. Kom vlug naar huis.'

Begin zomer werd hij gevraagd om voor een periode van twee jaar docent te worden bij de Writers' Workshop van de State University of Iowa.

'Weet je, schatje?' zei hij toen ze de brief allebei gelezen hadden. 'Het zou best eens een vergissing kunnen blijken om dit te weigeren.'

'Ik dacht dat je een hekel aan onderwijs had.'

'Ja, maar bij de University of Iowa ligt dat anders. Voor zover ik begrijp staat deze workshop helemaal los van de vakgroep Engels. Het is een postdoctoraalopleiding, een soort vakschool voor schrijvers. Die kinderen worden zorgvuldig uitgekozen – het zijn eigenlijk helemaal geen studenten, het zijn jonge schrijvers – en het enige "onderwijs" dat ik zou moeten geven beslaat vier of vijf uur per week. Het idee erachter is dat de docenten verondersteld worden zelf iets te schrijven terwijl ze daar zijn, begrijp je, dus geven ze je ruim de tijd. En jezus, ik bedoel maar, als ik mijn nieuwe bundel niet in twee jaar kan afronden is er écht iets mis met me. Bovendien,' zei hij, terwijl hij verlegen met zijn duim over zijn kin wreef, en ze zag dat de volgende overweging het doorslaggevende argument zou zijn. 'Bovendien... Ik weet dat dit stom klinkt, maar het is een soort eer om daar gevraagd te worden. Moet wel betekenen dat iemand níét vindt dat ik met mijn vorige bundel mijn graf gegraven heb.'

'Oké, Jack, maar de eer blijft dezelfde, of je die uitnodiging aanneemt of niet. Dus denk na: wil jij echt naar Iowa?'

Ze liepen nu allebei heen en weer door zijn appartement, zoals al vanaf het moment dat hij de brief geopend had. Hij liep over de kale vloerplanken naar haar toe, sloeg zijn armen om haar heen en bukte zich om zijn gezicht tegen haar haar te verbergen. 'Jawel,' zei hij, 'maar alleen op één voorwaarde.'

'En die is?'

'Dat je meegaat,' zei hij hees, 'en bij me woont en van mij bent.'

In augustus namen ze allebei ontslag bij de *Food Field Observer* en het laatste weekend voor ze naar Iowa vertrokken nam ze hem mee naar St. Charles.

'...Ik vind hem echt enig,' zei Sarah toen Emily en zij samen in de met zonlicht doorschoten keuken stonden. 'Ik mag hem enorm... en Tony ook, dat kan ik wel aan hem merken.' Ze zweeg even om een sliertje leverpastei van haar vinger te likken. Weet je wat je volgens mij zou moeten doen?'

'Wat dan?'

'Met hem trouwen.'

'Hoe bedoel je, "trouwen"? Je zegt altijd weer dat ik met iemand moet trouwen, Sarah. Je zegt dat bij ongeveer elke man met wie ik hier kom. Wordt het huwelijk verondersteld het antwoord op alles te zijn?'

Sarah keek gekwetst. 'Het is het antwoord op ontzettend veel.'

En Emily had bijna Hoe kan jíj dat nou weten? gevraagd, maar hield zich bijtijds in. In plaats ervan zei ze: 'We zullen wel zien', en ze liepen met schalen slordig klaargemaakte hapjes weer de woonkamer in.

'Mijn oorlog was uiteraard een nogal troosteloos gedoe,' zei Jack, 'ik kroop met een radio op mijn rug over Guam, maar ik herinner me die kleine gestroomlijnde jachtvliegtuigjes van Magnum. Ik vroeg me altijd af hoe het zou zijn om daar boven in zo'n ding rond te toeren.'

'Je zou de vliegtuigen moeten zien die we nu maken,' zei Tony. 'Straaljagers. Je snoert je in zo'n ding vast en *Sjjoem!*' Hij maakte een gebaar alsof hij salueerde, zijn opgeheven vlakke hand ging razendsnel vanaf zijn slaap recht vooruit om de vaart van de start te suggereren.

'Ja ja,' zei Jack. 'Ik zie het voor me.'

Toen de jongens buiten adem binnenkwamen probeerde Emily niet al te overdreven steeds weer te zeggen hoe reusachtig ze gegroeid waren na haar vorige bezoek, maar de veranderingen waren opvallend. Tony junior was nu veertien en groot voor zijn leeftijd, hij had al dezelfde bouw als zijn vader. Het was een leuk joch om te zien, maar zijn glimlach had iets vaags, iets dat toch minstens de mogelijkheid openliet dat hij zou opgroeien tot een aimabele dwaas; en Eric, de jongste, had tegenwoordig een behoedzame blik die eerder nors dan verlegen was. Alleen Peter, de middelste, die Pookie altijd haar lievelingetje noemde, boeide haar. Hij was mager en gespannen als een windhond; hij had de grote bruine ogen van zijn moeder en had zelfs terwijl hij kauwgom kauwde nog iets intelligents.

'Hé, tante Emmy?' vroeg hij tussen het kauwen door. 'Weet u nog de presidenten die ik op mijn tiende van u kreeg?'

'De presenten? Welke presenten?'

'Nee, de presidenten.'

En ten slotte wist ze het weer. Ze besteedde elke Kerst weer te veel tijd aan dingen voor de jongens kopen; dan liep ze met tegenzin en pijn in haar voeten door warenhuizen, ademde bedompte lucht in en maakte ruzie met uitgeputte verkopers, en op een keer had ze tot een cadeautje besloten waarvan ze alleen maar kon hopen dat het voor Peter geschikt zou zijn: een platte kartonnen doos met witte plastic beeldjes van elke Amerikaanse president tot en met Eisenhower. 'O ja, die presidenten,' zei ze.

'Ja. Nou ja, ik vond ze dus heel leuk.'

'Nou, en óf,' zei Sarah. 'Weet je wat hij gedaan heeft? Hij heeft op het achtererf een heel stuk uitgegraven, net een park, met gazons en bomengroepen en een rivier die erdoorheen liep, en bruggen over de rivier, en hij heeft alle presidenten op een andere plek neergezet, elk op een verschillende maat voetstuk overeenkomstig zijn reputatie. Hij heeft Lincoln het hoogste gegeven omdat die immers de belangrijkste was, en presidenten zoals Franklin Pierce en Millard Fillmore heeft hij heel laag gezet – o, en William Howard Taft heeft hij een heel ruim voetstuk gegeven omdat die de dikste was geweest, en...'

'Oké, mam,' zei Peter.

'Nee, echt,' vervolgde ze. 'Ik wou dat je het had kunnen zien. En weet je wat hij met Truman heeft gedaan? Hij kon eerst maar niet besluiten wat hij met Truman zou doen en toen heeft hij...'

'Ik denk dat je het nu wel ongeveer gehad hebt, lieverd,' zei Tony met een nauwelijks merkbare knipoog naar hun gasten.

'O,' zei ze. 'Nou ja, best.' En ze pakte snel iets te drinken om haar mond te verbergen. Die hebbelijkheid was nooit veranderd: als Sarah zich verlegen voelde, nadat ze een mop verteld had en wachtte tot er gelachen werd, of als ze bang was dat ze te veel gepraat had, ging als om naaktheid te verbergen haar hand naar haar mond – met cola of een ijslolly toen ze een kind was, tegenwoordig met een glas sherry of whisky of een sigaret. Misschien hadden alle jaren met wijkende, vooruitstekende tanden, en daarna een beugel, haar mond levenslang het kwetsbaarste aan haar gemaakt.

Later die middag begonnen de jongens een partijtje tegen de grond drukken tot ze een tafeltje omstootten en hun vader 'Oké, mannen. Hou je fatsoen' zei. Het was zijn standaard vermaning voor alle doeleinden; kennelijk iets dat hij bij de marine geleerd had.

'Maar er is hier binnen ook niets wat ze kunnen doen, Tony,' zei Sarah.

'Laat ze dan naar buiten gaan.'

'Nee,' zei ze, 'ik heb een beter idee.' En ze richtte zich tot Emily. 'Dit móét je echt zien. Peter! Pak de gitaren maar.'

Eric sloeg zijn armen voor zijn borst ten teken dat hij het allang best vond om niet mee te mogen doen en de twee ouderen klauterden naar een andere kamer en kwamen terug met twee goedkope gitaren. Toen ze zeker wisten dat hun publiek er klaar voor was gingen ze midden in de kamer staan, vulden het huisje met geluid en gaven een imitatie van de Everly Brothers weg:

Bye bye, love
Bye, bye, happiness...

Tony junior sloeg alleen een paar eenvoudige akkoorden aan en zong op een dreuntoon de woorden; Peter deed al het moeilijke vingerwerk, en hij leek zijn ziel in de tekst te leggen.

'Wat een geweldige kinderen, Sarah,' zei Emily toen ze weer naar buiten waren gegaan. 'Die Peter is echt iets bijzonders.'

'Heb ik al verteld wat hij wil worden, als hij groot is?

'Wat dan... president?'

'Nee,' zei Sarah, alsof dat een van een aantal te verwezenlijken mogelijkheden zou kunnen zijn. 'Nee, je raadt het nooit. Hij wil priester in de episcopale kerk worden. Ik had ze een paar jaar geleden naar de paasdienst in het kerkje hier in het dorp meegenomen en Peter raakt er maar niet los van. Hij wil nu dat ik elke zondag met hem naar die kerk ga, anders gaat hij liften.'

'Nou ja,' zei Emily. 'Ik neem aan dat hij er wel overheen zal groeien.'

'Voor zover ik Peter ken, nee.'

's Avonds aan tafel viel Peter, opgewonden na een middagje uitsloven, de volwassenen met zo veel malle opmerkingen in de rede dat Tony hem twee keer beval om zijn fatsoen te houden. De derde keer, toen Peter zijn servet op zijn hoofd legde, nam Sarah het bevel over. 'Peter,' zei ze. 'Hou je fatsoen.' Ze wierp snel een blik op Tony om te zien of ze het goed gezegd had, toen op Emily om te zien of het raar geklonken had, en verborg toen haar mond in haar glas.

'Ik begrijp dat je bij de radio werkt,' zei Jack Flanders tegen Sarah, toen de volwassenen later op de avond alleen in de woonkamer waren.

'Nee, niet meer,' zei ze, maar je zag dat ze het leuk vond dat hij het gezegd had. 'Dat is nu allemaal afgelopen.' Ze was begin jaren vijftig 'gastvrouw' geweest in een huisvrouwenprogramma op de zaterdagochtend, op de radiozender voor Suffolk County – Emily had het een keer gehoord en vond dat ze het heel goed deed – maar het programma was na anderhalf jaar uit de lucht gegaan. 'Het was maar een plaatselijk zendertje,' legde Sarah uit, 'maar ik vond het leuk... vooral het schrijven van het script. Ik vind schrijven heerlijk.'

En dat bracht haar op het onderwerp dat ze kennelijk al uren ter sprake had willen brengen: ze schreef een boek. Een van Geoffrey Wilsons voorouders aan moederskant, een man uit New York die George Fall heette, was een van de voortrekkers in de westelijke staten van Amerika geweest. Hij had met een groepje andere mensen uit de oostelijke staten geholpen om een deel van wat nu Montana was te ontginnen en koloniseren. Er was weinig over George Fall bekend, maar hij had tijdens zijn avonturen vele brieven naar huis geschreven en een van zijn neefjes had die overgeschreven en er een klein boekje van gemaakt, een privé-uitgave, waarvan er een in het bezit was gekomen van Geoffrey Wilson.

'Het is fascinerend materiaal,' zei Sarah. 'Het is natuurlijk tamelijk moeilijk te lezen... het is allemaal heel merkwaardig, ouderwets van stijl, en je moet je fantasie gebruiken om de hiaten op te vullen... maar alle gegevens zijn aanwezig. Ik vond dat iemand hier toch echt een boek over moet schrijven, en dan kan ik dat net zogoed zelf doen.'

'Goh, dat... dat is een hele onderneming, Sarah,' zei Emily, en Jack zei dat het werkelijk heel interessant klonk.

O, het geheel was nog in het prille beginstadium, verzekerde ze hun, als om hun afgunst te vergoelijken; ze had een ruwe synopsis gemaakt, de hele inleiding en een eerste concept van hoofdstuk I geschreven, maar aan het hoofdstuk zelf moest nog veel gebeuren. Ze had nog niet eens een titel, hoewel ze overwoog het *George Falls Amerika* te noemen, en ze zou onder het schrijven nog veel over die periode moeten nakijken in allerlei bibliotheken. Er zou veel tijd in het boek gaan zitten, maar ze vond het heerlijk werk... en het was een zalig gevoel om gewoon weer iets te dóén.

'Mm,' zei Emily. 'Dat kan ik me voorstellen.'

'En misschien brengt het ook nog wat op,' zei Tony grinnikend. 'Dat zou pas echt een zalig gevoel zijn.'

Sarah keek verlegen, toen ineens brutaal. 'Willen jullie misschien mijn inleiding horen?' vroeg ze. 'Ik heb niet vaak twee echte schrijvers als toehoorders. Lieverd?' vroeg ze haar man. 'Als je ons nu allemaal nog eens inschenkt, dan lees ik mijn inleiding voor.'

Met haar trillende manuscript hoog in één hand en terwijl ze haar stem liet aanzwellen tot een timbre waarmee je een kleine aula kon vullen, begon Sarah, schoenen uit en haar enkels knus onder haar billen getrokken, hardop voor te lezen.

In de inleiding stond hoe de brieven van George Fall bewaard gebleven waren en hoe ze de basis voor dit boek hadden geleverd. Er volgde een korte samenvatting van zijn reizen waarin veel data en plaatsnamen voorkwamen, en zelfs dat deel van de tekst was prettig om naar te luisteren: Emily was verrast hoe goed de zinnen liepen; maar ze had Sarahs radioscript immers ook verrassend gevonden.

Tony keek slaperig tijdens het voorlezen – hij had het waarschijnlijk al eerder gehoord – en zijn tolerante glimlach met neergeslagen blik terwijl hij naar zijn whisky staarde, leek te zeggen dat als het vrouwtje dat soort dingen leuk vond, nou dan was het hem best.

'George Fall was in veel opzichten een bewonderenswaardig man, maar hij was niet uniek. Er waren in zijn tijd nog talloze anderen zoals hij – mannen met lef, die comfort en zekerheid opgaven om het hoofd te bieden aan een woestenij, om tegen alle schijnbaar uitzichtloze verwachtingen in tegenspoed niet uit de weg te gaan, om een continent te veroveren. Het verhaal van George Fall is dan ook in heel ware zin het verhaal van Amerika.'

Ze legde het manuscript neer, keek weer verlegen en nam een grote slok whisky met water.

'Het is uitstekend, Sarah,' zei Emily. 'Echt uitstekend.' En Jack zei iets beleefds om te laten merken dat hij het daar helemaal mee eens was.

'Nou ja, er zal best het een en ander aan moeten gebeuren,' zei Sarah, 'maar dit is zo ongeveer het idee.'

'...Je hebt een schat van een zus,' zei Jack Flanders toen Emily en hij op weg naar huis in de trein zaten. 'En ze schrijft echt goed; ik zei dat niet zomaar.'

'Ik ook niet. Ik weet dat ze goed schrijft. Maar ik kan er niet overheen hoe slap en dikkig ze wordt. Ze had vroeger het mooiste figuur dat ik ooit gezien heb.'

'Ja, dat overkomt een hoop vrouwen in de bloei van hun leven,' zei hij. 'Daarom heb ik ze graag mager. Nee, maar ik begrijp wat je bedoelt, over je zwager; hij is inderdaad een beetje onbehouwen.'

'Ik krijg als ik daarheen ga altijd de meest afschuwelijke hoofdpijnen,' zei Emily. 'Ik weet niet waarom, maar het is altijd hetzelfde. Zou je de achterkant van mijn nek een beetje kunnen masseren?'

Hoofdstuk 2

Iowa City was een aangename stad die, in de schaduw van de universiteit, langs een langzame rivier was gebouwd. Sommige van de rechte, met bomen omzoomde woonstraten vol zonnige plekken deden Emily aan illustraties in *The Saturday Evening Post* denken – zag Amerika er eigenlijk zo uit? – en ze wilde in een van die ruime oude witte huizen in zo'n straat wonen; maar toen ontdekten ze aan een onverharde landweg een zonderling uitziend stenen bungalowtje, ruim zes kilometer buiten de stad. Het was gebouwd als schildersatelier, legde de vrouw van het makelaarskantoor uit; het verklaarde de extra grote woonkamer en het hoge panoramaraam. 'Voor mensen met kinderen zou het niet bepaald praktisch zijn,' zei ze, 'maar voor jullie tweeën is het misschien best leuk.'

Ze kochten een goedkope tweedehands auto en verkenden een paar avonden het platteland, dat lang niet zo eentonig bleek als ze verwacht hadden. 'Ik dacht dat het een en al maïsveld en prairie zou zijn,' zei Emily, 'jij niet? Maar moet je al die golvende heuvels en bossen eens zien – o, en ruikt de lucht niet heerlijk?'

'Mm. Ja.'

En het was altijd een genoegen in die kleine woning thuis te komen.

Niet lang erna was er een stafbespreking waarvan Jack jubelend thuiskwam. 'Niet dat ik mijn normale jongensachtige bescheidenheid aan de wilgen hang, schatje,' zei hij, terwijl hij met een glas whisky in zijn hand door de kamer liep, 'maar ik blijk de beste dichter te zijn die ze hier hebben. Misschien wel de enige. Jezus, je zou die andere potsenmakers eens moeten zien – je zou ze eens moeten lézen.'

Ze las hen niet, maar ze zag hen wel, op een aantal lawaaiige en verwarrende feestjes.

'Die oudere man vond ik wel aardig,' zei ze tegen Jack toen ze op een avond naar huis reden. 'Hoe heet hij? Hugh Jarvis?'

'Ach ja, Jarvis is denk ik zo kwaad niet. Hij heeft twintig jaar geleden een paar goeie dingen geschreven, maar er komt nu niets meer uit. Wat vind je van dat klootzakje Krueger?'

'Hij leek heel verlegen. Maar ik vond zijn vrouw wel aardig; ze is... interessant. Iemand die ik graag zou leren kennen.'

'Mm,' zei hij. 'Als dat betekent dat we de Kruegers te eten vragen of zoiets, vergeet het dan maar meteen. Ik wil dat gluiperige rotschoftje niet in mijn huis.'

En dus kwam er behalve zij niemand in dat huis. Ze waren geïsoleerd. Jack had in een hoek van de grote kamer zijn werktafel ingericht en zat daar het grootste deel van de dag diep over zijn potlood gebogen.

'Je zou in de kleine kamer moeten werken,' zei ze. 'Zou dat niet beter zijn?'

'Nee. Ik vind het fijn om je te kunnen zien, als ik opkijk. Terwijl je de keuken in- en uitloopt, de stofzuiger achter je aansleept, of wat je dan ook doet. Zo weet ik dat je hier echt bent.'

Toen ze op een ochtend klaar was met het huishouden haalde ze haar draagbare schrijfmachine tevoorschijn en installeerde die zo ver mogelijk bij hem vandaan aan de andere kant van de kamer.

EEN NEW YORKER ONTDEKT HET MIDWESTEN
Afgezien van delen van New Jersey, en misschien Pennsylvania, had ik me altijd alles tussen de Hudson en de Rocky Mountains voorgesteld als een woestenij.

'Schrijf je een brief?' informeerde Jack.

'Nee; iets anders. Gewoon een los idee. Heb je last van de schrijfmachine?'

'Natuurlijk niet.'

Het idee pruttelde al dagen in haar gedachten, compleet met die titel en openingszin; ze begon nu aan het echte werk.

Je had natuurlijk Chicago, een zanderige, ondeugdelijke oase ergens in het noorden, en je had geïsoleerde oorden als Madison,

Wisconsin, die vermaard zijn om hun curieus charmante imitatie van de cultuur van de oostkust, maar verder zou je 'daar buiten' voornamelijk grote lappen maïs en graan en een verstikkende domheid aantreffen. In de steden was het een gewoel van mensen als George F. Babbitt; in de talloze dorpen werd je achtervolgd door wat F. Scott Fitzgerald 'hun ondervraging zonder einde die alleen de kinderen en hoogbejaarden ontzag,' noemde.

Was het dan gek dat alle beroemde schrijvers die in het Midwesten geboren waren het zo snel mogelijk waren ontvlucht? Misschien dat ze er achteraf met graagte enthousiaste verhalen over vertelden, maar dat was enkel nostalgie; je hoorde nooit dat ze er weer gingen wonen.

Als iemand uit het noordoosten van Amerika, geboren in de stad New York, leidde ik altijd met het grootste plezier verdwaalde, verbijsterde bezoekers uit het Midwesten door mijn deel van de wereld rond. Kijk, legde ik dan uit; zo leven wij.

'Is dit idee van je diep geheim?' riep Jack vanaf de andere kant van de kamer. 'Of kun je me er iets over vertellen?'

'O, het is gewoon... ik weet niet precies. Misschien wordt het wel een tijdschriftartikel of zo.'

'O?'

'Ik weet het niet. Ik doe maar wat.'

'Mooi zo,' zei hij. 'Dat doe ik ook.'

Op maandag en donderdag verdween hij naar de campus en bij terugkomst was hij altijd gespannen – chagrijnig of opgewekt, dat hing ervan af hoe het college gegaan was.

'Pfff, studenten,' mopperde hij een keer terwijl hij zich een whisky inschonk, 'die verdomde rotstudenten. Als je ze even de kans geeft verslinden ze je met huid en haar.'

Op goede dagen dronk hij ook te veel, maar was hij beter gezelschap: 'Deze baan is een makkie, schatje, als je maar niet te veel je best doet. Je loopt de klas in en vertelt wat je weet en ze drinken het in alsof ze het nog nooit gehoord hebben.'

'Misschien hebben ze het echt nog nooit gehoord,' zei ze. 'Ik denk dat je een heel goede leraar bent. Je hebt mij in elk geval een hoop geleerd.'

'O ja?' Hij keek verlegen en enorm vergenoegd. 'Over poëzie, bedoel je?'

'Over van alles. Over de wereld. Over het leven.'

En die avond konden ze bijna niet wachten tot ze hun afkoelende eten op hadden voor ze het bed in doken.

'O, Emily,' zei hij, terwijl hij haar streelde en liefkoosde. 'O, schatje, weet je wat jij bent? Ik zeg dan wel altijd "Je bent fantastisch" en "Je bent volmaakt" en "Je bent geweldig", maar die woorden zijn geen van alle goed. Weet je wat jij bent? Je bent betoverend. Je bent betoverend.'

Hij vertelde haar zo vaak, op zo veel nachten, dat ze betoverend was dat ze ten slotte 'Zeg dat alsjeblieft niet meer' tegen hem zei.

'Waarom niet?'

'Zomaar. Het raakt een beetje versleten.'

' "Versleten" hè? Oké.' En hij leek gekwetst.

Maar ze had hem nooit zo blij gezien als toen hij, ongeveer een week daarna, op een van zijn lesdagen drie uur te laat thuiskwam. 'Sorry, lieverd,' zei hij. 'Ik ben na college met een van de studenten iets blijven drinken. Heb je al gegeten?'

'Nog niet; alles staat in de oven.'

'Verdomme, ik zou je gebeld hebben, maar ik lette niet op de tijd.'

'Hindert niet.'

Terwijl ze uitgedroogde varkenskarbonades aten, die hij met whisky en water wegspoelde, bleef hij maar doorpraten. 'Het is echt te gek: dat joch Jim Maxwell... had ik je over hem verteld?'

'Ik geloof het niet.'

'Grote, forse knul; komt uit een of ander godvergeten gat in Zuid-Texas, draagt cowboylaarzen en dat soort dingen. Jaagt me onder de les altijd angst aan omdat hij zo'n keiharde is... en zo slim. En een verdomd goeie dichter, of dan toch binnenkort. Hoe dan ook, vanavond wachtte hij tot alle andere studenten de bar uit waren, dus namen we met z'n tweeën een laatste rondje, en hij keek me helemaal vanuit zijn ooghoeken aan en zei dat hij me iets moest vertellen. Toen zei hij... verdomd, schatje, dit is echt te veel... hij zei dat toen hij mijn eerste bundel las, dat daardoor toen zijn leven veranderde. Is dat niet godverdomde fantastisch?'

'Goh,' zei ze. 'Wat een geweldig compliment.'

'Ja, maar ik bedoel, ik kan er niet over uit. Toch onvoorstelbaar dat ik iets geschreven heb dat het leven van een volkomen onbekende in Zuid-Texas zou kunnen veranderen?' en hij stak een stuk varkenskarbonade in zijn mond, kauwde er krachtig op en smaakte zijn genoegen.

In november was het zover dat hij erkende, of eigenlijk volhield, dat het met zijn eigen werk niet zo best ging. Hij kwam vele malen per dag van zijn werktafel overeind om met grote stappen door de kamer te gaan lopen, piekte sigarettenpeuken in de open haard (de aslaag in de open haard raakte zo stampvol sigarettenpeuken dat alleen een laaiend houtvuur ze nog zou wegbranden) en zei dingen als 'Trouwens, welke gek heeft ooit beweerd dat ik zo nodig dichter moest worden?'

'Kan ik iets lezen van de gedichten waaraan je werkt?'

'Nee. Dan verlies ik alleen maar het beetje respect dat je nog voor me over hebt. Weet je waar het op lijkt? Op slechte light verse. Niet eens goede light verse. Pom-pe dom-pe dom, en pom-pe-de hop-per-de pop. Ik had songwriter in de jaren dertig moeten worden, maar waarschijnlijk was ik zelfs daarin mislukt. Ik had ongeveer met z'n zevenentwintigen moeten zijn om een Irving Berlin te worden.' Hij stond kromgebogen uit het grote raam naar het vergeelde gras en de kale bomen te staren. 'Ik heb een keer een interview gelezen met Irving Berlin,' zei hij. 'Die kerel vroeg wat zijn grootste angst was, en hij zei "Op een dag probeer ik het te pakken en dan is het er niet". Tja, dat ben ik, schatje. Ik weet dat ik het had...ik kon het voelen, zoals je bloed in je aderen voelt... en nu probeer ik het te pakken en is het er niet.'

Daarna viel de lange witte winter van het Midwesten in. Jack ging terug naar New York om met Kerstmis zijn kinderen op te zoeken, en zij had het huisje voor zich alleen. Het was aanvankelijk eenzaam, tot ze merkte dat ze wel graag alleen was. Ze probeerde aan haar tijdschriftartikel te werken, maar de compacte, volgelopen alinea's leken niet ter zake te komen; toen kreeg ze op de derde dag een uitbundige kerstbrief van haar zusje. Ze had zo lang alleen Jack Flanders in gedachten gehad, dat het eigenaardig verfrissend was met deze brief in een stoel te gaan zitten en weer te weten wie ze was.

...Alles is oké hier op Hoge Hagen, en ze doen allemaal de groeten. Tony werkt vaak over, dus we zien hem zelden. De jongens groeien als kool...

Sarah schreef nog steeds met de keurige, meisjesachtige blokletters die ze zich in de eerste klassen van de middelbare school had aangeleerd. ('Het ziet er schattig uit, lieverd,' had Pookie gezegd. 'Maar het is een beetje gekunsteld. Maar dat hindert niet; het krijgt naarmate je ouder wordt wel wat meer distinctie.') Emily liet haar blik vluchtig over de irrelevante delen van de brief gaan tot ze bij de essentie kwam:

Je weet misschien al dat Pookie geen werk meer heeft – het makelaarskantoor is failliet gegaan – en we zijn natuurlijk erg bezorgd om haar. Maar Geoffrey kwam met een heel grootmoedige oplossing. Hij verbouwt het appartement boven de garage tot een knus woninkje voor haar waar ze zonder huur mag wonen. Ze komt in aanmerking voor een uitkering. Tony heeft zo'n gevoel dat het niet zo erg prettig zal zijn om haar hier te hebben, en ik ben het met hem eens – niet dat ik niet van haar houd, je weet wat ik bedoel – maar het zal ons hier allemaal vast wel lukken.

Nu het andere grote nieuws: nog even en we erven het Grote Huis! Geoffrey en Edna verhuizen in het voorjaar terug naar New York – ze is al een tijdje helemaal niet in orde & hij heeft genoeg van het lange heen en weer reizen naar zijn werk en wil dichter bij zijn kantoor wonen. Als zij eruit gaan, trekken wij erin en verhuren ons huisje voor extra inkomsten die we hard nodig hebben. Kun jij je voorstellen hoe ik het huishouden moet doen in dat reusachtige huis?

Ik heb *George Fall* op de lange baan geschoven omdat bleek dat ik zonder research in Montana niet erg ver kwam. Kun je je voorstellen dat ik ooit naar Montana zou reizen? Maar ik schrijf nog wel, ik heb plannen voor een reeks grappige korte verhalen over het gezinsleven – het soort verhalen waar Cornelia Otis Skinner zo goed in is. Ik bewonder haar werk enorm.

Er was nog meer – Sarah eindigde haar brieven altijd met een vrolijke noot, ook als ze die erbij moest slepen – maar het in essentie trieste van de boodschap uit St. Charles was duidelijk.

Toen Jack thuiskwam was hij vervuld van goede voornemens. Er werd niet meer gelanterfant, kondigde hij aan. Niet meer elke avond te veel gedronken. En vooral, het zou niet meer gebeuren dat zijn tijd zo in beslag werd genomen door het werk van studenten. Besefte ze wel dat hij het zover had laten komen dat hij bijna elke dag aan manuscripten van studenten werkte? Wat was dat voor onzin?

'...Want het punt is, Emily: ik heb op deze reis veel nagedacht. Het weg zijn heeft me goed gedaan en de dingen zo'n beetje gerelativeerd. Het punt is dat ik volgens mij wel een bundel heb. En het enige – het énige – dat me belet om die tegen de zomer klaar te hebben is mijn eigen halfslachtige gedrag. Als ik consciëntieus doorwerk en geluk heb – een mens moet ook geluk hebben, niet alleen consciëntieus zijn – dan fiks ik het wel.'

'Goh,' zei ze. 'Wat geweldig, Jack.'

De winter leek eeuwig te duren. De verwarmingsketel begaf het twee keer – ze moesten de hele dag met een trui en een jas aan, met een deken om hun schouders, ineengedoken bij de open haard blijven zitten – en de auto begaf het drie keer. En ook als ze het allebei wel deden, verliepen de dagen in een patroon van kille onbehaaglijkheid. Naar de stad gaan betekende dikke sokken en laarzen aantrekken, tot aan je kin een sjaal omslaan en bibberen tot de autoverwarming hete, naar benzine ruikende lucht in je gezicht blies, en dan onder een hemel die even dichtbij en wit was als de sneeuw zelf, de ruim zes verraderlijke kilometers over ijzel en sneeuw rijden.

Op een dag dat Emily klaar was met haar inkopen bij de supermarkt – ze had geleerd hoe ze zich niet door de supermarkt moest laten ontmoedigen, hoe ze er met snelle, competente en effectieve bewegingen te werk moest gaan – bleef ze een hele tijd in de dampende glans van de wasserette zitten. Ze keek naar de werveling van het zeepsop en de kletsnatte kleren in de patrijspoort van haar machine; toen keek ze naar de andere klanten, probeerde te raden wie er student waren en wie leden van de faculteit en wie mensen uit de stad. Ze kocht een chocoladereep en hij was verrassend lekker – alsof daar chocolade zitten eten het enige was dat ze de hele dag had willen doen. Onder het wachten tot de droogtrommel klaar was kreeg ze een vaag gevoel van angst, maar pas toen ze aan de warme, met pluis bespikkelde opvouwtafel stond kreeg ze het door: ze wilde niet naar huis. En niet omdat ze er tegenop zag door sneeuw en ijs te rijden, maar omdat ze er tegenop zag naar huis te gaan naar Jack.

'Die klote Krueger,' zei hij toen hij op een avond in februari het huis kwam binnendenderen. 'Ik zou hem met liefde een schop in zijn ballen geven, als hij die had.'

'Bill Krueger, bedoel je?'

'Ja, ja, "Bill". Dat zoete-lieve klootzakje met het kuiltje in zijn kin en de charmante vrouw en drie zoete-lieve dochtertjes.' En meer zei hij niet tot hij een whisky voor zichzelf had ingeschonken en het glas half leeg had. Toen zei hij, met een duim tegen zijn slaap en zijn hand over zijn voorhoofd alsof hij bang was haar zijn ogen te laten zien 'Het gaat hierom, schatje. Probeer het te begrijpen. Ik ben wat de studenten hier "traditioneel" noemen. Ik vind Keats en Yeats en Hopkins mooi, en... shit, je weet wat ik mooi vind. En Krueger is wat ze "experimenteel" noemen... hij heeft alles overboord gezet. Zijn favoriete bijvoeglijk naamwoord van kritiek is "vermetel". Een student krabbelt stoned van de hasj de eerste de beste woorden op papier die in hem opkomen en dan zegt Krueger "Mm, dat is een zeer vermetele regel". Zijn studenten zijn allemaal eender, het zijn de verwaandste uit de hele stad, zonder enig verantwoordelijkheidsgevoel. Ze denken dat je dichter bent als je rare kleren draagt en dwars over de pagina schrijft. Krueger heeft drie bundels gepubliceerd en er komt er dit jaar nog eentje uit, en hij staat de hele verdomde tijd in alle verdomde tijdschriften. Je kunt geen tijdschrift ter hand nemen of die verdomde William Krueger staat erin en de pointe, schatje... de mop van het verhaal is: dat etterbakje is negen jaar jonger dan ik.'

'O. Nou en, wat is er gebeurd?'

'Shit. Vanmiddag was het wat ze Valentijnsdag noemen. Dat wil zeggen dat ze "voorkeursformulieren" uitdelen en dat de studenten allemaal opschrijven welke docent ze het volgende semester willen hebben; daarna gaan de docenten bij elkaar zitten om de formulieren te sorteren. Het is natuurlijk niet de bedoeling dat je je er iets van aantrekt, en iedereen doet heel nonchalant, maar mijn God, je zou die rode gezichten en trillende handen eens moeten zien. Hoe dan ook, ik ben vier van mijn studenten kwijtgeraakt aan Krueger. Vier. En een ervan is Harvey Klein.'

'O.' Ze wist niet wie Harvey Klein was – er waren avonden dat ze niet erg goed luisterde – maar dit was duidelijk een aanleiding voor troost. 'Hoor eens, Jack, ik begrijp best dat je daar een akelig gevoel over hebt, maar dat zou dus niet zo moeten zijn. Als ik aan een universiteit als deze studeerde zou ik ook met zo veel mogelijk verschillende docenten willen werken. Dat klinkt toch logisch?'

'Niet erg.'

'Bovendien ben je hier niet gekomen om je energie aan het haten van Krueger te verspillen... of zelfs maar aan het les geven aan Harvey Klein. Je bent hier gekomen om je eigen werk af te maken.'

Hij haalde zijn hand van zijn voorhoofd, kneep hem tot een vuist en gaf een dreun op de tafel, zodat ze overeind schoot. 'Zo is het,' zei hij. 'Daar heb je absoluut gelijk in, Emily. Die verdomde bundel is het enige waarover ik me druk zou moeten maken, elke dag weer. Ook nu weer, met nog een half uur voor we gaan eten, zou ik daar aan die tafel moeten zitten werken in plaats van een hoop banale, ergerlijke onzin over je heen te snotteren. Je hebt gelijk, schatje; je hebt gelijk. Ik wil je bedanken dat je me erop gewezen hebt.'

Maar hij bracht de rest van de avond in een stemming van zwijgende, ontoegankelijke mistroostigheid door. Die nacht of maar een paar nachten later werd Emily om drie uur wakker en bleek hij niet meer in bed te liggen. Toen hoorde ze hem in de keuken bezig, waar hij ijsblokjes in een glas liet vallen. De lucht in de omgeving van het bed was zwaar van de rook, alsof hij er uren had liggen roken.

'Jack?' riep ze.

'Ja. Sorry dat ik je wakker heb gemaakt.'

'Hindert niet. Kom weer naar bed.'

En dat deed hij, maar hij kwam er niet in. Hij bleef in zijn bad-jas ineengedoken in het donker zitten drinken en een hele tijd was zijn zo nu en dan droge hoest het enige geluid in huis.

'Dit ben ik niet, schatje,' zei hij ten slotte. 'Dit ben ik niet.'

'Hoe bedoel je, dit ben je niet? Het lijkt me nogal zoals je bent.'

'Ik wou bij God dat je me gekend had toen ik aan mijn eerste boek werkte, of zelfs mijn tweede. Dát was ik. Ik was toen sterker. Ik wist wat ik verdomme deed en ik deed het, en daaromheen viel alles op z'n plek. Ik snotterde en snauwde en schreeuwde en kok-halsde en kotste niet de hele tijd. Ik liep me niet als een man zon-der huid, zonder vlees, zorgen te maken wat de mensen van me dachten. Ik was...' Hij ging zachter praten om aan te geven dat het volgende punt het meeszeggend en -bezwarend zou zijn van alle-maal – 'ik was geen drieënveertig.'

De komst van de lente maakte alles een beetje beter. De lucht was vele dagen van een warm diep blauw; de sneeuw verschrom-pelde op de akkers en zelfs in de bossen, en op een ochtend kwam Jack op weg naar de universiteit weer terug het huis binnenstor-men om te verkondigen dat hij in de tuin een krokus had aange-troffen.

Ze gingen nu elke middag lange wandelingen maken, over de onverharde landweg, over de weilanden en onder de grote bomen. Ze praatten niet veel – Jack liep meestal met zijn hoofd omlaag en zijn handen in zijn zakken te piekeren – maar hun tijd buitens-huis vormde al snel het hoogtepunt van Emily's dag. Ze keek er even begerig naar uit als Jack naar de whisky's die ze bij thuis-komst dronken. Ze wachtte elke middag met toenemend ongeduld op het moment dat ze haar suède jasje kon aantrekken, naar zijn schrijftafel gaan en zeggen 'Zin om een eindje te wandelen?'

'Een eindje wandelen,' zei hij dan, en hij smeet zijn potlood neer alsof het hem een waar genoegen was het kwijt te zijn. 'Bij God, dat is een geweldig idee.'

En de wandelingen werden er nog beter op nadat ze van buren verderop langs de weg een hond hadden geërfd, een bruin-metwitte bastaardterriër die Cindy heette. Ze liep met lange stappen naast hen mee of huppelde uitsloverig in kringetjes om hen heen, of rende de akkers op om te graven.

'Moet je nou zien, Jack,' zei Emily een keer terwijl ze zijn arm vastgreep. 'Ze gaat die pijp in onder de weg... ze wil er helemaal doorheen en er dan aan de andere kant weer uitkomen.' En toen de hond bemodderd en bibberend uit de andere kant van de pijp opdook riep ze 'Prachtig, Cindy! Brave hond. Brave hond!' Ze klapte in haar handen. 'Mooi werk, hè, Jack?'

'Ja. Zeg dat wel.'

Hun meest gedenkwaardige wandeling was op een winderige namiddag in april. Ze waren die dag verder gegaan dan meestal en toen ze, vermoeid maar met nieuwe kracht, over een grote akker vol voren op weg naar huis waren kwamen ze bij een alleenstaande eikenboom die als een enorme pols en hand in de lucht omhoog leek te steken. De boom dwong hen tot stilte terwijl ze in de schaduw ervan door de takken naar boven keken en ze zouden zich allebei herinneren dat Emily het eerst op het idee kwam. Ze trok haar suède jasje uit en liet het op de grond vallen. Toen glimlachte ze naar hem – ze vond hem heel knap zo, terwijl de wind zijn haar plat tegen zijn voorhoofd blies – en begon haar blouse open te knopen.

Ze zaten binnen de kortst mogelijke tijd naakt op hun knieën en omarmden elkaar; toen hielp hij haar om op de vochtige aarde achterover te gaan liggen, terwijl hij 'O, schatje; o, schatje...' zei. En ze wisten allebei dat Cindy bijna zeker zou gaan blaffen als iemand het waagde om deze heilige plek te naderen.

Een half uur later, weer thuis, keek hij verlegen op van zijn whisky en zei 'Wow. O, wow. Dat was... dat was niet mis.'

'Tja,' zei ze, terwijl ze haar ogen neersloeg, en ze voelde hoe ze bloosde, 'wat zul je op het platteland wonen als je niet zo nu en dan dat soort dingen doet?'

De volgende maand regende het bijna aan één stuk door. Dode wormen lagen her en der op het modderpad dat van de deur naar de auto liep en bladeren van vorig jaar werden plat tegen het panoramaraam geblazen waar ze in stromen naar beneden gleden. Emily kreeg de gewoonte uren bij dat raam – soms terwijl ze iets las maar vaker niet – naar buiten, de regen in te staren.

'Wat zie je daar eigenlijk?' vroeg Jack.

'Niks bijzonders. Ik zit gewoon te denken of zo.'

'Waar denk je aan?'

'Ik weet het niet. Ik zou eens met de was naar de wasserette moeten.'

'Toe nou; die was kan wachten. Als je iets dwarszit wil ik het graag weten, wou ik maar zeggen.'

'Nee, nee,' zei ze. 'Er zit me niets dwars.' En ze ging het wasgoed verzamelen.

Toen ze, zeulend met de zware denim waszak, op weg naar de deur weer langs zijn schrijftafel kwam keek hij op en vroeg: 'Emily?'

'Mm?'

Hij was drieënveertig, maar op dat moment stond zijn vaag glimlachende gezicht zo hulpeloos als dat van een kind. 'Vind je me nog aardig?' vroeg hij.

'Natuurlijk wel,' zei ze en bleef druk doende met het aantrekken van haar regenjas.

Tegen het eind van het voorjaarssemester zei hij dat hij wel dacht dat zijn bundel in wezen af was. Het was geen triomfantelijke, of zelfs maar vrolijke aankondiging. 'Het punt is,' legde hij uit, 'dat ik nog niet het gevoel heb dat ik het kan insturen. Het belangrijkste is denk ik wel gebeurd, maar er moet nog in gesneden en gesnoeid worden en alles moet zijn definitieve vorm krijgen. Ik denk dat het misschien wel slim zou zijn om het deze zomer nog bij me te houden. Ik bepaal een inleverdatum in september en heb de hele zomer om het door te werken.'

'Ja ja,' zei ze. 'Lijkt me ook. Dan heb je drie maanden zonder colleges.'

'Weet ik, maar ik wil hier niet blijven. Het wordt hier bloedheet en is uitgestorven. Besef je trouwens wel hoe veel geld we op de bank hebben? We kunnen verdomme zo ongeveer overal heen.'

Ze had twee snelle visioenen – een van hoge golven die tegen de rotsen uiteenspatten en wit zand, Oostkust of Westkust, en een van een paarsrode bergketen met laaghangende bewolking. Zou liefde op het strand of liefde in de bergen beter zijn dan dit hier? 'Mm,' zei ze, 'waar wil je heen?'

'Daar wilde ik het net over gaan hebben, schatje.' En zoals hij nu keek deed haar aan haar vader denken, als Sarah en zij lang geleden op kerstochtend het papier van cadeautjes scheurden die precies bleken te zijn wat ze hebben wilden. 'Hoe zou je het vinden om naar Europa te gaan?'

Ze vlogen ruim voor het draaien van de aarde uit; Heathrow Airport betrapte hen om zeven uur 's ochtends verdoofd en bibberend en met zand in hun ogen van slaapgebrek. Op de rit naar Londen viel niet veel te zien – het leek niet veel anders dan onderweg van St. Charles naar New York – en het goedkope hotel dat het reisbureau had aanbevolen zat vol voorzichtige, gedesoriënteerde toeristen als zijzelf.

Jack Flanders had vlak na de oorlog met zijn vrouw in Londen gewoond en hij zei nu steeds weer hoe alles veranderd was. 'De hele stad heeft zoiets Amerikaans gekregen,' zei hij. 'Dat zullen we overal wel zo'n beetje tegenkomen, denk ik.' Maar de ondergrondse was fantastisch hield hij vol – 'Wacht maar tot je ziet hoe veel beter hij is dan die in New York' – en hij nam haar mee naar wat hij zijn oude buurt noemde, waar South Kensington en Chelsea worden gescheiden door Fulham Road.

De barkeeper in zijn oude pub herkende hem niet, dat duurde tot Jack hem bij zijn naam noemde en hem een hand gaf; daarna deed hij heel joviaal, maar aan de manier waarop hij Jack niet helemaal recht aankeek was te zien dat hij deed alsof.

'Het punt is dat ik te oud ben om me er iets van aan te trekken of zo'n lul van een barkeeper me nou herkent of niet,' zei Jack terwijl ze aan een hoektafeltje op ruime afstand van het darten lauw bier dronken. 'En ik heb trouwens altijd de pest aan Amerikanen die met van die melige verhalen over fantastisch leuke cafeetjes uit Engeland terugkomen. Kom, we gaan hier weg.'

Hij liep met haar een zijstraat in naar het verduisterde pand waar hij vroeger in het souterrain had gewoond – en hij trok zich een eindje van haar terug om er met hangende schouders en peinzend een hele tijd naar te blijven staren. Emily keek bij de stoeprand doelloos links en rechts de straat af, waar het zo stil was dat ze het gonzen en klikken van het schakelmechanisme van het verkeerslicht op de hoek kon horen. Ze wist dat ongeduldig worden dwaas zou zijn – misschien werkte hij aan een idee voor een gedicht – maar dat hielp niet om haar geduldiger te maken.

'De klootzak,' zei hij rustig toen hij het pand eindelijk de rug toedraaide. 'Herinneringen, herinneringen. Het was een vergissing, schatje, om naar dit huis te komen; het heeft me echt de nekslag gegeven. Kom, we gaan iets drinken. Ik bedoel: iets echts.'

Maar de pubs waren dicht. 'Maakt niet uit,' verzekerde hij haar. 'Hier om de volgende hoek zit een kleine club die Apron Strings heet; ik was er vroeger lid; ik denk dat ze ons wel binnen laten. Misschien loop ik zelfs nog mensen tegen het lijf die ik vroeger kende.' Maar ze stuitten op een onbewogen West-Indische portier die hen niet doorliet; er was na Jacks tijd een nieuwe directie gekomen.

Ze stapten in een taxi en Jack boog zich enthousiast voorover om het woord tot de chauffeur te richten. 'Kunt u ons ergens naartoe brengen waar we iets te drinken kunnen krijgen? Ik bedoel niet een of andere ballentent; ik bedoel een fatsoenlijk café waar we iets kunnen drinken.' En toen hij zich naast Emily achterover liet zakken om ernaartoe te rijden zei hij 'Ik weet dat je dit idioot vindt, schatje, maar als ik vanavond geen whisky binnenkrijg val ik van mijn leven niet in slaap.'

In een voorvertrek werden ze begroet door een man in smoking die zo te zien een Egyptenaar of Libanees was. 'Het is hier erg duur,' zei hij met een vriendelijke, vertrouwelijke glimlach. 'Ik zou het u niet aanbevelen.' Maar Jacks dorst zegevierde en ze zaten in een schemerige kelder met overal tapijt waar een verwijfde jonge neger op een piano slordig uitgevoerde barmuziek speelde, en waar de rekening voor twee whisky tweeëntwintig dollar bedroeg.

'Waarschijnlijk een van de allerstomste dingen die ik ooit van mijn leven gedaan heb,' zei Jack toen ze weer naar het hotel reden, en toen ze de lobby binnenkwamen bleek de bar meer dan bereid om te schenken. 'Jezus, ja,' zei hij terwijl hij met de muis van zijn hand tegen zijn slaap sloeg, 'dat is waar ook... was ik vergeten. Hotelbars blijven ook laat open. Het is toch godverdomme te gek? Nou ja; dan kunnen we net zo goed een slaapmutsje nemen.'

Terwijl ze aan de whisky nipte die ze niet hebben wilde en naar de schelle dissonantie van Britse en Amerikaanse stemmen luisterde – een knappe jonge Engelsman aan de bar herinnerde haar aan Tony Wilson zoals hij er in 1941 uitzag – wist Emily dat ze zou gaan huilen. Ze probeerde het af te wenden met een truc uit haar kindertijd die vroeger ook wel eens gewerkt had – ze duwde allebei haar duimnagels hard in het gevoelige vlees onder de nagels van haar wijsvingers zodat de pijn die ze zichzelf toebracht misschien groter zou zijn dan die in haar opzwellende keel – maar het hielp niet.

'Is er iets, schatje?' informeerde Jack. 'Je ziet er... jezus, je ziet er uit alsof je op het punt staat... wacht even. Wacht, dan betaal ik de rekening en gaan we... kun je het inhouden tot we boven zijn?'

In hun kamer deed ze niets dan huilen terwijl hij zijn armen om haar heen sloeg en haar streelde en haar bevende hoofd kuste en 'O, schatje toch' zei. 'Toe nou, toe nou. Ik weet dat het vreselijk onaangenaam was, maar het was allemaal mijn schuld; en trouwens, het is maar tweeëntwintig dollar.'

'Het gaat niet om die tweeëntwintig dollar,' zei ze.

'Goed, de hele waardeloze avond dan. Zoals ik je meesleepte om naar dat huis te gaan kijken en voor mijn eigen genoegen in een van mijn diepe depressies verviel; zoals ik...'

'Het gaat niet om jou; waarom denk je toch altijd dat alles om jou draait? Het is gewoon... het is gewoon mijn eerste avond in een vreemd land en dat geeft me een enorm gevoel van... kwetsbaarheid.' En dat was ook echt zo, oordeelde ze terwijl ze van het bed kwam om haar neus te snuiten en haar gezicht te wassen, maar dat was slechts een deel van de waarheid. De rest ervan was dat ze niet wilde reizen met een man van wie ze niet hield.

Parijs was beter: alles zag er net zo uit als op de foto's van Parijs die ze al haar hele leven bestudeerde, en ze wilde urenlang wandelen. 'Word je niet moe?' vroeg Jack dan, terwijl hij achterbleef. Hij had ook hier gewoond, in vroeger tijden, maar zoals hij nu met een blik van humeurige verbijstering meesjokte was hij het toonbeeld van een stuntelige Amerikaanse toerist. Toen ze de uitgestrekte stilte van de Notre Dame in liepen moest ze twee vingers achter in zijn broekriem steken om te beletten dat hij regelrecht een kluitje stoelen in liep waarop mensen zaten te bidden.

Ze hadden een lang verblijf in Cannes gepland zodat Jack zou kunnen werken. Hij zei dat hij een deel van het beste werk van zijn leven in Cannes geschreven had; het had een sentimentele bekoring voor hem. En het zou ook een praktische kant hebben: zij kon de hele dag op het strand zitten terwijl hij zich afzonderde.

En ze genoot inderdaad van het strand. Ze was dol op zwemmen en ze wilde best toegeven dat ze de starende, goedkeurende blikken van zongebruinde Franse mannen die keken hoe zij er in haar bikini uitzag, aangenaam vond. Mager, ja, leken ze te zeggen; met kleine borsten, dat wel; maar leuk. Erg leuk.

Als haar dag voorbij was ging ze terug naar het hotel, waar hun kamer bijtend blauw stond van de sigarettenrook. 'Hoe ging het?' vroeg ze dan.

'Vreselijk.' Hij liep te ijsberen en zag er afgetobd uit. 'Weet je? Een dichtbundel is niet sterker dan het zwakste gedicht dat erin staat. En sommige hiervan... een stuk of vijf, zes... zijn zo zwak dat ze de andere omlaag zullen halen. Die hele verdomde bundel gaat vallen als een baksteen.'

'Neem een dag vrij. Kom morgen mee naar het strand.'

'Nee, nee; dat helpt niet.'

Niets bleek te helpen, en hij wond zich dagenlang mopperend op. Ten slotte zei hij 'Het is hier trouwens te duur; we geven een kapitaal uit. We zouden Italië kunnen proberen, of Spanje.'

En ze probeerden het allebei.

Ze hield van de architectuur en beeldhouwwerken van Florence – ze zag voortdurend dingen waarover haar lang geleden op college kunstgeschiedenis verteld was – en ze kocht in de winkels en kramen in de buurt van de overdekte brug cadeautjes voor Pookie en Sarah en de jongens; maar in Rome was het zo warm dat je pupillen zo ongeveer smolten. Ze viel op weg naar de Sixtijnse Kapel bijna flauw: ze moest slingerend en wankelend in een onvriendelijk café een glas water gaan vragen; ze moest een hele tijd in een glas Coca-Cola staren voor ze de kracht bij elkaar raapte om terug te gaan naar het smoorhete hotel, waar Jack met een potlood achter zijn oor en nog eentje tussen zijn tanden geklemd zat te wachten.

Ze vonden allebei Barcelona beslist een prettige stad – er stonden bomen en er was een briesje uit zee; ze vonden een koele kamer in een prijsklasse die ze betalen konden en er waren prima terrassen waar je in de namiddag een biertje kon drinken – maar Madrid was net zo ondoorgrondelijk en onverzettelijk als Londen. Het enig goede aan Madrid, zei Jack, was de bar in hun hotel waar je altijd royaal anderhalve maat in je glas geschonken kreeg als je '*whiskey escoso*' bestelde.

Toen waren ze in Lissabon en was het tijd om naar huis te gaan.

In Iowa City was alles bij het oude. Het zien van hun huisje, en toen de grote kamer binnen, haalde levendige herinneringen boven aan vorig jaar: het was alsof ze nooit weg waren geweest.

Emily ging met de auto Cindy ophalen uit het huis waar ze haar in de kost hadden gedaan, en toen de hond haar herkende en kwispelde en sidderde en haar tanden liet zien, besefte ze dat ze de hele zomer naar dit moment had uitgekeken.

In oktober zei Jack 'Weet je nog dat ik een inleverdatum in september voor mezelf had bepaald? Dat zou je moeten leren mij en mijn achterlijke inleverdata te wantrouwen.'

'Waarom lever je het niet in zoals het is?' vroeg ze. 'Een goede redacteur zou je kunnen helpen om er de zwakke gedichten uit te halen; hij zou je misschien zelfs kunnen helpen om ze te verbeteren.'

'Nee, nee, geen enkele redacteur is zo goed. Het is trouwens niet zo dat maar een paar gedichten zwak zijn; de hele bundel heeft iets ziekelijks en neurotisch. Als ik het lef had om het je te laten lezen, zou je zien wat ik bedoel. Maar ik ga één ding doen dat je voorstelde. Ik verhuis mijn spullen naar de kleine kamer en ga daar werken.'

Dat was een verbetering: ze had niet langer het gevoel dat hij haar de hele dag in de gaten hield.

Niet lang nadat hij in de kleine kamer was gaan werken, op een dag dat hij naar de universiteit was, ging ze er opruimen en probeerde daarbij een zware kartonnen doos met winterkleren van zijn plek te schuiven. Hij kiepte om en ging open en ze vond een driekwart-literfles whisky, half vol, die verstopt had gelegen in de vouwen van een overjas. Ze overwoog hem eruit te halen en tussen de officiële flessen in de keukenkast te zetten, maar ten slotte legde ze hem zorgvuldig terug waar hij leek te horen.

Ze diepte het manuscript van *Een New Yorker ontdekt het Midwesten* weer op en werkte er een paar dagen gestaag aan, maar het lukte haar niet er een samenhangend geheel van te maken. De moeilijkheid was, oordeelde ze, dat de essentie van het artikel een leugen was: ze had het Midwesten niet ontdekt, zomin als ze Europa had ontdekt.

Op een zondagochtend zat ze in haar badjas in de schommelstoel, Cindy breeduit op haar schoot. Ze had haar koffiekop van het ontbijt in haar ene hand terwijl ze met de andere over Cindy's borstelige vacht aaide en ze zong met een hoog stemmetje een kinderliedje, zich er nauwelijks van bewust dat ze zelfs maar zong:

Hoe gaat het, lieve Cindy?
Hoe maak je het vandaag?
Wil je met me spelen?
Als ik het je vraag?

'Weet je,' zei Jack, en hij glimlachte vanaf de ontbijttafel naar haar. 'Zoals jij met die hond bezig bent zou je haast zeggen dat je een baby wilt.'

Ze was geschokt. 'Een baby?'

'Ja.' Hij stond op en kwam naast haar staan, en zijn vingers begonnen met een lok van haar haar te spelen. 'Wil elke vrouw dan niet een keer een baby?'

Het voordeel van zitten terwijl hij boven haar uitstak was dat ze hem niet recht aan hoefde te kijken. 'Eh, ik weet het niet,' zei ze. 'Ja, dat zal wel; een keer.'

'Ik zou erop kunnen wijzen,' zei hij, 'dat je er niet jonger op wordt.'

'Waar gáát dit allemaal over, Jack?'

'Zet Cindy op de grond. Sta op. Kom, geef me een zoen. Dan zal ik het je zeggen.' Hij sloeg stijf zijn armen om haar heen en ze legde haar hoofd tegen zijn borst zodat ze hem nog steeds niet recht aan hoefde te kijken. 'Moet je horen,' zei hij. 'Toen ik trouwde wist ik niet wat ik deed; ik deed het om alle verkeerde redenen; en ik zeg nu al jaren, al sinds de scheiding, dat ik nooit meer zal trouwen. Maar het punt is dat jij daar verandering in hebt gebracht, Emily. Moet je horen. Niet nu... o nee, niet nu, schatje, maar binnenkort... zodra die verdomde bundel klaar is... denk je dat je dan in overweging zou kunnen nemen om met te trouwen?'

Hij pakte allebei haar handen vast en hield haar op armlengte afstand. Zijn ogen glansden en zijn mond trok in een krul van verlegenheid en trots als van een jongen die net zijn eerste kus gestolen heeft. Er zat een dun sliertje eigeel op zijn kin.

'Tja, ik weet het niet, Jack,' zei ze. 'Het lijkt me iets waarover ik moet nadenken.'

'Oké.' Hij keek gekwetst. 'Oké; ik weet dat ik geen lot uit de loterij ben.'

'Het gaat niet om jou; het gaat om mij. Ik weet gewoon niet of ik eraan toe ben om...'

'"Oké", zei ik toch.' En na een tijdje liep hij naar de kleine kamer en deed de deur dicht.

Ze maakten nog steeds bijna elke middag een wandeling – het platteland was rijk voorzien van herfstblad – maar nu was het Emily die vaak met gebogen hoofd liep, haar gedachten voor zich hield, naar haar schoenen keek. Ze vermeden zonder er iets over te zeggen de route die langs de alleenstaande eikenboom voerde.

In november besloot ze bij hem weg te gaan. Ze zou teruggaan naar New York maar niet naar de *Food Field Observer*; ze zou een betere baan zoeken, en ook een beter appartement; ze zou aan een nieuw en beter leven beginnen, en ze zou vrij zijn.

Nu hoefde ze het alleen nog maar te vertellen. Ze vormde in gedachten de openingszinnen en oefende ze een paar keer. 'De dingen zijn niet zoals ze zijn moeten, Jack. Ik denk dat we dat allebei weten. Ik ben tot de conclusie gekomen dat het, voor ons allebei, maar het beste is om...' En ze ging voor de gesloten deur van de kleine kamer op hem zitten wachten.

Toen hij naar buiten kwam waren zijn bewegingen alsof hij in zijn rug geschoten was. Hij liet zich op de bank tegenover haar zakken en ze bekeek hem aandachtig op aanwijzingen dat hij uit de geheime fles had zitten pimpelen, maar hij was nuchter. Zijn ogen waren rond als die van een acteur in de laatste ogenblikken van een treurspel.

'Ik kan het niet,' verkondigde hij net iets harder dan fluisterend, en het deed haar denken aan de manier waarop Andrew Crawford in bed 'Ik kan het niet' gezegd had, nu jaren geleden.

'Je kunt wat niet?'

'Ik kan niet schrijven.'

Ze had hem op dit soort ogenblikken zo vaak getroost dat ze nu geen vertroosting en geruststelling meer over had; ze kon hem alleen zeggen wat waar was. 'Ik zou willen dat je dat niet zei,' zei ze.

'O ja? Nou, ik ook. Ik zou zo veel willen.'

Het was duidelijk dat ze het hem nu niet vertellen kon. Ze wachtte een dag of twee, drie, tot ze er niet over peinsde nog langer te wachten, en toen zei ze het. 'De dingen zijn niet zoals ze zijn moeten; ik denk dat we dat allebei weten. Ik ben tot de conclusie gekomen dat het maar het beste is om...'

Ze kon zich later nooit herinneren hoe ze die zin had afgemaakt, of wat zijn antwoord erop was, of wat ze daarna gezegd had. Ze herinnerde zich alleen zijn korte demonstratie van wild vrolijke onverschilligheid en daarna zijn woede, toen hij schreeuwde en een whiskyglas tegen de muur gooide – hij leek het gevoel te hebben dat hij haar alleen als ze een denderende ruzie hadden zover zou krijgen dat ze bleef – en daarna zijn ineenstorting en smeken: 'Schatje, niet doen; doe me dit alsjeblieft niet aan...'

Het was twee uur 's ochtends voor ze op de bank een bed voor zichzelf kon spreiden.

Terwijl de herfst snel afkoelde tot winter, ging ze alleen naar New York terug.

Hoofdstuk 3

Ze wist dat ze wakker was omdat ze in de bleke, vrij hangende vorm van een gesloten jaloezie, ver weg, ochtendlicht zag. Het was geen droom: ze lag naakt in bed met een onbekende man, in een onbekende kamer, zonder herinnering aan de avond tevoren. De man, wie het dan ook was, lag met een zware arm en een zwaar been over haar heen geslagen en hield haar in een neerwaarts klemmende greep, en in haar worsteling om zich te bevrijden stootte ze tegen een nachtkastje dat met geraas van gebroken glas omviel. Hij werd er niet wakker van, maar hij kreunde en draaide zich van haar af; zo werd het een koud kunstje om naar het voeteneinde te kruipen en, het glas ontwijkend, uit het bed te stappen om langs de muur op de tast een lichtknopje te zoeken. Ze raakte niet in paniek: zoiets was haar nog nooit overkomen, maar dat wilde niet zeggen dat het nooit meer gebeuren zou. Als ze haar kleren kon vinden en het huis uit komen en een taxi nemen en naar huis gaan, zou het wellicht nog mogelijk zijn om de orde in het bestaan te herstellen.

Toen ze het knopje vond, ontstond plotseling om haar heen het appartement, maar ze herkende het niet. En ook de man herkende ze nog steeds niet. Hij lag met zijn gezicht van haar af maar ze kon zijn profiel zien; ze bestudeerde het zo zorgvuldig alsof ze hem naar het leven tekende, maar het zei haar niets. De enige bekende voorwerpen in de kamer waren haar kleren die over de rug van een corduroy leunstoel hingen, niet ver van de plek waar de schoenen en de broek en het overhemd en het ondergoed van de man her en der op de grond lagen. Het woord 'vunzig' kwam in haar op; dit was vunzig.

Ze kleedde zich snel aan en vond de badkamer en terwijl ze voor de spiegel haar haar kamde drong het tot haar door dat ze hier niet

per se weg hoefde; er was een alternatief. Ze kon een warme douche nemen en in de keuken koffie gaan zetten en wachten tot hij
wakker werd; ze kon hem met een vriendelijke ochtendglimlach –
een ietwat gereserveerde, beschaafde glimlach – begroeten en dan
zou ze zich onder het praten vast en zeker alles herinneren wat
ze weten moest: wie hij was, hoe ze elkaar hadden leren kennen,
waar ze de vorige avond geweest waren. Het zou allemaal terugkomen en ze zou moeiteloos tot de conclusie kunnen komen dat ze
hem aardig vond. Dan maakte hij misschien voor elk van hen een
bloody mary tegen de kater en nam hij haar mee om ergens te gaan
ontbijten, en dan bleek misschien wel dat...

Maar dit was het advies van onverantwoordelijkheid, van pro-
miscuïteit en van vunzigheid, en ze zag er snel van af. Terug in de
kamer waar hij sliep zette ze het spichtige nachtkastje overeind dat
met zijn vracht flessen en glazen was omgevallen. Ze vond een vel
papier en schreef hem een briefje dat ze rechtop op het nachtkastje
zette:

Voorzichtig:
  Gebroken glas op de grond.
  E.

Daarna ging ze de deur van het appartement uit en was vrij. Pas
toen ze weer op straat stond – het bleek Morton Street te zijn, vlak
bij Seventh Avenue – voelde ze de zwaarte van het voor haar ongewone vele drinken dat ze de vorige avond moest hebben gedaan.
De zon ging in de aanval en stuurde gele pijnflitsen diep haar schedel in; ze kon nauwelijks iets zien en haar hand beefde heftig toen
ze probeerde het portier van een taxi open te doen. Maar terwijl
ze naar huis reed en de warme wind inademde die door het taxi-
raampje naar binnen waaide, begon ze zich beter te voelen. Het
was zaterdag – hoe kon ze zo zeker weten dat het zaterdag was als
ze verder alles vergeten was? – en dat gaf haar twee volle dagen om
op te knappen voor ze weer aan het werk moest.

Het was de zomer van 1961 en ze was zesendertig.

Vlak na terugkomst uit Iowa was ze aangenomen als copywriter
op een klein reclamebureau en ze was er een soort beschermelinge

geworden van de vrouw die het leidde. Het was een goede baan, hoewel ze liever iets journalistieks had gedaan, en het mooiste ervan was dat ze in een hoog, ruim appartement in de buurt van Gramercy Park kon wonen.

'Morgen, juffrouw Grimes,' zei Frank, bij de receptie. Niets in zijn gezicht duidde erop dat hij misschien vermoedde hoe ze de nacht had doorgebracht, maar daar kon ze niet zeker van zijn: ze liep met ongebruikelijke strengheid in haar houding door de hal, voor het geval hij haar met zijn blik volgde.

Het behang in de gang had een geel op grijs patroon van steigerende paarden; ze was er talloze keren langs gelopen zonder er een blik op te werpen, maar toen ze deze keer de lift uit kwam zag ze meteen dat iemand er een lange dikke penis op had getekend die tussen de achterbenen van een van de paarden uit stak terwijl eronder grote zaadballen bungelden. Haar eerste opwelling was een vlakgom zoeken en het ding weggummen, maar ze wist dat het niet zou lukken: het zou met nieuw papier moeten worden uitgewist.

Alleen en veilig achter haar eigen gesloten deur schepte ze er behagen in te constateren dat alles in haar huis schoon was. Ze bleef zich in de douche een half uur inzepen en afboenen, en terwijl ze daar stond begon ze zich de gebeurtenissen van de vorige avond te herinneren. Ze was naar het appartement geweest van een getrouwd stel dat ze nauwelijks kende, ergens in de East Sixties, en het was een groter, rumoeriger feestje gebleken dan ze verwacht had – dat verklaarde de nervositeit waardoor ze te snel gedronken had. Ze deed onder de kletterende regen van warm water haar ogen dicht en herinnerde zich een zee van pratende, lachende mensen waaruit gezichten van verscheidene onbekenden dichtbij kwamen: een vrolijke kale man die zei dat het absurde idee dat Kennedy president zou moeten worden een overwinning was van geld en publiciteit; een magere, goed verzorgde man in een duur pak, die zei 'Ik begrijp dat u ook in het reclamevak zit'; en de man met wie ze vrijwel zeker geslapen had, degene met de serieuze stem die uren, zo leek het, tegen haar had aangepraat en wiens onaantrekkelijke gezicht met zware wenkbrauwen hoogstwaarschijnlijk het gezicht was dat ze vanmorgen had bestudeerd.

Maar ze kon zich niet herinneren hoe hij heette. Ned? Ted? Zo-iets.

Ze deed schone, gemakkelijke kleren aan en dronk koffie – ze snakte naar een biertje maar was bang om er eentje open te maken – en begon net een gevoel te krijgen dat haar leven weer samenhang kreeg toen de telefoon ging. Hij was met moeite wakker geworden; hij had kreunend de ochtendhandelingen voor zijn toilet verricht en een biertje achterovergeslagen; hij had het nummer gevonden dat ze hem waarschijnlijk gegeven had en een hoffelijke, korte begroeting voorbereid, een mengeling van verontschuldiging en weer ontwaakt verlangen. Hij ging haar nu uitnodigen om ergens te ontbijten, of lunchen, en ze zou moeten besluiten wat ze zeggen zou. Ze beet op haar lip en liet de telefoon vier keer overgaan voor ze opnam.

'Emmy?' Het was de stem van haar zusje Sarah en hij klonk als die van een verlegen, ernstig kind. 'Hoor eens, het gaat over Pookie, en ik ben bang dat het slecht nieuws is.'

'Is ze dood?'

'Nee, maar ze is er erg... Ik zal aan het begin beginnen, oké? Ik had haar al vier of vijf dagen niet gezien, en dat was eigenlijk wel gek want meestal is ze... je weet wel... ze is hier nogal vaak, dus stuurde ik vanmorgen Eric naar het appartement boven de garage om zo'n beetje te kijken hoe het met haar ging, en hij kwam terugrennen en zei "Mam, je kunt er maar beter even naartoe." Ze lag zonder kleren aan op de grond en ik dacht eerst dat ze echt dood was: ik kon niet eens zien of ze ademde, maar ik was er vrij zeker van dat ik een heel zwakke pols voelde. En nog iets: ze was naar het... Oké als ik de dingen bij de naam noem?'

'Je bedoelt dat ze ontlasting had gehad?'

'Ja.'

'Sarah, dat gebeurt nu eenmaal als de mensen...'

'Weet ik, er was een polsslag. Hoe dan ook, we hadden de pech dat onze eigen dokter met vakantie is en zijn vervanger is zo'n ongemanierde jonge knul die ik nog nooit eerder gezien had; hij onderzocht haar en zei dat ze leefde maar in coma was en hij vroeg hoe oud ze was en dat kon ik hem niet zeggen... je wéét hoe raar Pookie altijd over haar leeftijd deed... en hij keek om zich heen en zag al die lege whiskyflessen en hij zei "Tja, mevrouw Wilson, niemand heeft het eeuwige leven."'

'Ligt ze nu in het ziekenhuis?'

'Nog niet. Hij zei dat hij het zou regelen maar dat het wel even kon duren. Hij zei dat we de ambulance ergens in de middag konden verwachten.'

De ambulance was er nog steeds niet toen Emily in St. Charles met behoedzame bewegingen uit de smoorhete trein stapte, waar Sarah haar met de oude Plymouth die ze met haar zoons deelde kwam afhalen. 'O, ik ben zo blij dat je er bent, Emmy,' zei ze. 'Ik heb er meteen al een beter gevoel over.' En langzaam, aarzelend de versnellingspook en pedalen hanterend alsof ze het gebruik ervan nooit helemaal onder de knie had gekregen, reed ze met haar zusje naar huis.

'Raar, hoor,' zei Emily toen ze langs een reusachtig roze-met-wit winkelcentrum kwamen. 'Toen ik hier voor het eerst kwam was dit allemaal platteland.

'De dingen veranderen, lieverd,' zei Sarah.

Maar aan het oude landgoed van de Wilsons was niets veranderd, behalve dat hoog onkruid het bordje HOGE HAGEN al lange tijd verduisterde. Tony's kastanjebruine Thunderbird stond glimmend op de oprijlaan. Hij kocht om het jaar een nieuwe en hij was de enige die erin mocht rijden; Sarah had een keer uitgelegd dat dit zijn enige extravagante uitgave was.

'Is Tony thuis?' vroeg Emily.

'Nee; hij is met een paar jongens van Magnum een dag gaan vissen. Hij weet hier allemaal zelfs nog niets van.' Toen, nadat ze op eerbiedige afstand van de Thunderbird had geparkeerd en was uitgestapt, en ze bedenkelijk naar de autosleuteltjes in haar hand keek, zei ze 'Moet je horen, Emmy, ik weet dat je natuurlijk razende honger hebt, maar ik denk dat we eerst even bij Pookie moeten gaan kijken. Ik bedoel, ik wil niet dat ze daar zomaar ligt, oké?'

'Natuurlijk,' zei Emily. 'Natuurlijk; ja natuurlijk.' En ze liepen over knerpend grind naar de zonovergoten 'garage' die te weinig garageruimte had om een moderne auto in te zetten. Emily was een paar keer bij haar moeder in het appartement boven de garage op bezoek geweest – had urenlang onder het lage board plafond naar haar gepraat geluisterd, naar de foto's van Sarah en haar als kinderen op de vlekkerige board muren gestaard, gewacht op de eerste de beste kans op ontsnapping – maar niets had haar voorbereid op wat ze nu boven aan de krakende trap aantrof.

De naakte oude vrouw lag op haar buik, alsof ze met een voet achter het tapijt was blijven haken en voorovergevallen. De hitte in het appartement was bijna ondraaglijk – ze had met gemak alleen al van de hitte in elkaar gezakt kunnen zijn – en dat van die whiskyflessen was waar: er lagen er zo'n stuk of zes, acht, her en der in de kamer, allemaal Bellows Partners' Choice en allemaal leeg. (Had ze zich gegeneerd om zo veel flessen bij het vuilnis te doen dat een van de jongens zou moeten weghalen?)

'Ik vind dit echt vreselijk vervelend, meisjes,' leek ze te zeggen. 'Valt hier niets aan te doen?'

'Denk je dat we haar in bed kunnen leggen?' vroeg Sarah. 'Voor als de ambulance komt?'

'Ja. Goed idee.'

Eerst brachten ze de slaapkamer in orde. De verwarde lakens zagen eruit alsof ze vele weken niet verschoond waren en Sarah kon geen schone vinden, maar ze deden wat ze konden om het bed toonbaar te maken; daarna liepen ze terug om haar te halen. Ze zweetten inmiddels allebei overvloedig en haalden hijgend adem. Ze draaiden haar, op hun hurken zittend, voorzichtig op haar rug. Emily pakte haar onder haar oksels en Sarah onder haar knieën, en ze droegen haar. Ze was klein maar erg zwaar.

'Voorzichtig bij deze deuropening,' zei Sarah, 'het is hier smal.'

Ze zetten haar rechtopzittend op het bed en hielden haar overeind terwijl Sarah met een kam Pookies dunne haar bewerkte.

'Laat maar, schat,' leek ze te zeggen terwijl haar slaphangende hoofd meewiebelde met de kam. 'Dat doe ik straks wel. Dek me alleen maar toe. Dek me toe.'

'Zo,' zei Sarah. 'Dat is al wat beter. Als je haar nu zo'n beetje kunt omdraaien, dan til ik haar voeten op en kunnen we... ja, zo... rustig; rustig aan... zo.'

Ze lag op haar rug, met haar hoofd op het kussen, en haar dochters gingen met een gevoel van opluchting en gedane arbeid een eindje bij het lelijke oude lichaam vandaan staan.

'Weet je?' zei Sarah opgewekt. 'Ik zou er een hoop voor geven als ik zo'n goed figuur had, als ik zo oud ben als zij.'

'Mm. Heeft ze geen nachtpon of zoiets?'

'Ik weet het niet; we zullen eens kijken.'

Het enige dat ze vonden was een dunne zomerse badjas die bijna schoon was. Voorover buigend en tegen elkaar aan duwend wurmden ze een mouw over een zachte arm en propten de dunne stof onder haar rug langs om de andere mouw op zijn plaats te krijgen; toen de badjas ten slotte dichtgeslagen en vastgeknoopt was, was hun moeder aangekleed, en ze trokken het bovenlaken tot onder haar kin.

'Ik kan je wel vertellen dat het niet eenvoudig was,' zei Sarah toen ze weer naar de woonkamer gingen om de whiskyflessen op te rapen. 'Het was niet zo eenvoudig om haar die afgelopen... hoe veel zijn het er intussen, vier jaar?... hier te hebben.'

'Dat kan ik me voorstellen.'

'Ik bedoel, moet je het hier zíen.' Met in haar ene arm drie of vier flessen, maakte ze met haar vrije hand een gebaar naar de rest van het appartement. Over elk zichtbaar oppervlak zat een dun laagje vuil. De asbakken zaten boordevol zeer korte sigarettenpeuken. 'En kom hier eens; moet je dit zien.' Ze nam Emily mee naar de badkamer en wees in de wc-pot, die zowel boven als onder de waterlijn bruin was. 'Als ze maar in de stad had kunnen blijven,' zei Sarah, 'waar ze dingen te doen had en mensen zag. Want ze had hier buiten echt helemaal niets te doen. Ze zat altijd en eeuwig bij ons in huis, en ze wilde geen televisie kijken; en ze wilde ook niet dat wij televisie keken; ze praatte maar en praatte maar en praatte maar tot Tony er bijna gek van werd, en ze... en ze...'

'Ik weet het, lieverd,' zei Emily.

Ze gingen naar beneden – de buitenlucht voelde zelfs in de hitte prettig aan – en droegen de vracht whiskyflessen in hun armen naar de keukendeur van het grote huis, waar ze de flessen diep in een vuilnisbak duwden die krioelde van de vliegen.

'Weet je wat ik vind?' vroeg Sarah terwijl ze uitgeput aan de keukentafel zaten. 'Ik vind dat we allebei een borrel verdienen.'

De ambulance kwam halverwege de middag – vier snel bewegende, energieke jongemannen in glanzend wit die plezier in hun

werk leken te hebben. Ze bonden de oude vrouw op een aluminium brancard, brachten haar met delicate snelheid naar beneden,
schoven haar in hun auto en sloegen met een klap de portieren
dicht en waren weg.

Die avond reed Sarah met Emily naar het ziekenhuis, waar een
vermoeid uitziende dokter uitlegde wat een hersenbloeding inhield. Hun moeder zou de volgende dag of zo kunnen sterven,
zei hij, of ze zou nog een heel aantal jaren met ernstig hersenlet-
sel kunnen leven. In het laatste geval zou ze waarschijnlijk moeten
worden opgenomen in een inrichting.

'...En inrichtingen kosten natuurlijk geld,' zei Sarah terwijl ze
langzaam door de propere nieuwe buitenwijken naar huis reden,
'en we hebben geen geld.'

EETHUIS, zei een groot elektrisch reclamebord vlak voor hen;
eronder stond in kleinere letters het woord COCKTAILS, en Sarah
reed de oude Plymouth de parkeerplaats op.

'Ik had toch al geen zin om nu al naar huis te gaan,' zei ze, 'jij?'
En toen ze binnen aan een glad glimmend tafeltje zaten, zei ze
'Ik verlangde eigenlijk meer naar de airconditioning dan naar de
borrel; is het geen heerlijk gevoel?' Toen hief ze haar glas om te
proosten, ze leek plotseling heel jong, en zei: 'Op Pookies volledig
herstel.'

'Tja,' zei Emily, 'Ik geloof dat we op zoiets maar beter niet kunnen rekenen, Sarah. De dokter zei...'

'Ik weet wat hij zei,' volhardde ze, 'maar ik weet ook hoe Pookie
is. Ze is een opmerkelijk iemand. Ze is een taaie. Ik wil wedden dat
ze er weer bovenop komt. Wacht maar af.'

Tegenspreken had geen zin; Emily zei instemmend dat ze zouden afwachten. Er was even helemaal niets om over te praten en
Emily benutte de stilte om verbijsterd en boos te bedenken hoe ze
vanmorgen wakker geworden was. Ned? Ted? Zou ze er ooit achter komen? Had ze gehad wat dronkaards een black-out noemen?

Toen het gezicht van haar zusje weer duidelijk in beeld kwam,
straalde het van trotse woorden over Peter, die in de herfst zou
gaan studeren, en die dat slechts als noodzakelijke voorbereiding
beschouwde om te worden toegelaten op het seminarie van de
episcopale kerk.

'...Al deze jaren heeft zijn ambitie nooit gewankeld. Dat wil hij doen, en dat gaat hij doen. Het is een opmerkelijke jongen.'

'Mm. En hoe zit het met Tony junior? Die heeft dan toch verleden jaar eindexamen gedaan?'

'Dat klopt; behalve dat hij niet echt eindexamen heeft gedaan.'

'O? Je bedoelt dat hij het niet gehaald heeft?'

'Dat klopt. Nou ja, hij hád het kunnen halen, maar hij had al ongeveer het hele jaar omgang met een... had ik je dat niet verteld?'

'Een meisje, bedoel je?'

'Ze is geen meisje, dat is het hele punt. Ze is vijfendertig. Ze is gescheiden en ze is rijk en ze stort hem in het verderf. In het verderf. Ik kan geen ernstig woord meer met hem wisselen, en zijn vader ook niet. Zelfs Peter kan geen ernstig woord met hem wisselen.'

'Nou ja,' zei Emily, 'een hoop jongens gaan door zo'n fase. Het komt denk ik wel goed. Misschien is het zelfs wel een positieve ervaring, op de lange duur.'

'Dat zegt zijn vader ook.' Sarah keek nadenkend in haar glas. 'En Eric... nou ja, Eric heeft veel van Tony junior. En veel van zijn vader, denk ik. Was nooit zo'n studiehoofd; hij geeft alleen om auto's.'

'Kom je... kom je nog wel eens tot schrijven, Sarah?'

'Nee, niet echt. Ik heb het idee van die humoristische korte verhalen over het gezinsleven maar laten varen. Ik heb er vier geschreven, maar Tony zei dat ze niet grappig waren. Hij zei dat ze goed waren... goed geschreven, mooi uitgewerkt, boeiend en zo... maar hij zei dat ze niet grappig waren. Misschien legde ik het er te dik op.'

'Zou ik ze een keer mogen lezen?'

'Natuurlijk, als je dat wilt. Maar jij zult ze ook wel niet leuk vinden. Ik weet het niet. Humor is een stuk moeilijker dan... je weet wel... ernstige onderwerpen. Voor mij in elk geval wel.'

En Emily's gedachten dwaalden weer af, gingen naar haar eigen moeilijkheden; ze kwam pas weer bij de mensen toen ze besefte dat Sarah het gesprek op geld had gebracht.

'...En heb je enig idee welk salaris Tony thuisbrengt van Magnum?' vroeg ze. 'Wacht even, kijk; hier is het, ik zal het je laten zien.' Ze zocht in haar handtas. 'Dit is de controlestrook van zijn vorige salarischeque. Kijk maar.'

Emily had verwacht dat het niet veel zou zijn, maar zelfs dan was ze verbaasd: het was iets minder dan zij bij het reclamebureau verdiende.

'En hij werkt daar al éénentwintig jaar,' zei Sarah. 'Kun je je voorstellen? Altijd weer datzelfde stomme gedoe dat hij geen titel heeft. Al die kerels van zijn leeftijd met een ingenieursdiploma zitten nu in de directie. Tony heeft natuurlijk ook wel een leidinggevende functie, maar die is veel lager in de... je weet wel... in de organisatie. Het enige andere inkomen dat we hebben is de huur van het huisje, en daarvan gaat het meeste aan onderhoud op. En heb je enig idee van de belásting die we betalen?'

'Ik heb altijd gedacht dat die ouwe Geoffrey tot op zekere hoogte bijsprong.'

'Geoffrey is armer dan wij, lieverd. Dat importkantoortje levert nauwelijks meer op dan hun huur in de stad, en Edna is al een tijd ernstig ziek.'

'Dus er is geen... erfenis, of zoiets.'

'Erfenis? O nee. Iets dergelijks is er nooit geweest.'

'Goh, Sarah, hoe red je het dan?'

'O, we redden het. Krap aan, maar we redden het. Ik ga de eerste van elke maand aan de eetkamertafel zitten... en ik dwing de jongens daar bij me te komen zitten, toen ze jonger waren, tenminste; dat was goed voor ze, dan leerden ze met geld omgaan... en dan verdeel ik alles in potjes. Om te beginnen is er het potje H H. Dat is voldoende voor...'

'"H H"?'

'Hoge Hagen,' zei Sarah.

'Waarom noem je het zo?'

'Hoe bedoel je? Zo heeft het altijd geheten...'

'Die naam heeft Pookie het gegeven, lieve schat. Ik was erbij toen ze het bedacht.'

'Echt?' En Sarah keek zo verbluft dat het Emily speet dat ze het gezegd had. Ze staken allebei een hand uit om hun glas te pakken.

'Moet je horen, Sarah,' begon Emily. 'Het gaat me waarschijnlijk niets aan, maar waarom verkopen Tony en jij het hele spul niet?

De gebouwen zijn waarschijnlijk niets waard, maar denk eens aan de grond. Jullie hebben meer dan drie hectare in een van de snelst groeiende woongebieden van Long Island. Je zou er waarschijnlijk...'

Sarah schudde haar hoofd. 'Nee; nee, daar is geen sprake van. Dat zouden we niet kunnen; het zou niet eerlijk zijn tegenover de jongens. Ze zijn dol op het landgoed, begrijp je wel. Ze zijn er thuis. Het is het enige thuis dat ze ooit gekend hebben. Weet je nog hoe vreselijk dat was, toen wij klein waren? Dat we nooit ergens thuis...'

'Maar de jongens zijn volwassen,' zei Emily, de alcohol in haar lichaam begon zijn werk te doen: haar toon was scherper dan ze bedoeld had. 'Binnenkort gaan ze allemaal het huis uit. Is het niet eens tijd dat Tony en jij aan jezelf denken? Waar het om gaat is dat jullie voor de helft van wat je aan Hoge Hagen uitgeeft een goed, efficiënt modern huis zouden kunnen krijgen...'

'Dat is nog zoiets,' zei Sarah. 'Ook als het niet voor de jongens was, zou ik me Tony en mij nog steeds niet in zo'n pedant klein...'

' "Pedant"?'

'Je weet wel, net zo'n conventioneel bungalowtje als al die andere.'

'Dat is niet de betekenis van "pedant".'

'O nee? Ik dacht dat het conventioneel betekende. Hoe dan ook, ik zie niet in hoe we tot zoiets zouden kunnen overgaan.'

'Waarom niet?'

De woordenwisseling ging een half uur door, altijd weer op grond van dezelfde argumenten, tot Sarah zich toen ze ten slotte opstonden om weer naar de auto te gaan plotseling gewonnen gaf. 'Ach, je hebt ook gelijk, Emmy,' zei ze. 'We zouden er wel bij varen als we het landgoed verkochten. En de jongens ook. Maar er is één obstakel.'

'En dat is?'

'Tony heeft er absoluut geen oren naar.'

Weer bij het huis gekomen liepen ze door de naar vuilnis stinkende keuken, door de eetkamer, door de muffe woonkamer met krakende vloer – waar Emily altijd dacht de oude Edna met opgetrokken benen glimlachend op de bank te zullen aantreffen – naar wat Sarah de studeerkamer noemde, waar Tony en Peter televisie keken.

'Hallo, tante Emmy,' zei Peter met een mannelijk stemgeluid, en hij kwam uit zijn stoel.

Tony stond langzaam op, alsof hij het scherm met tegenzin verliet, en kwam met een blikje bier in zijn hand op hen toe. Hij had zijn visuitrusting nog aan, bespikkeld met vlekken van het aas, en zijn gezicht was stralend rood verbrand. 'Zeg,' zei hij, 'wat ontzettend akelig is dat nou, van Pookie.'

Peter zette de galmende televisie uit en Sarah deed uitgebreid verslag van wat de dokter gezegd had maar besloot met haar eigen, feiten trotserende prognose: 'Ik wil wedden dat ze er weer bovenop komt.'

'Mm,' zei Tony.

Die avond bleven de zusjes Grimes – lang nadat Tony en Peter naar bed waren gegaan, lang nadat Eric en zelfs Tony junior met gemompelde begroetingen voor hun tante en gemompelde woorden van verdriet over hun grootmoeder waren komen binnensjokken – nog uren zitten praten en drinken. Ze begonnen in de studeerkamer en verhuisden toen naar de zitkamer, waar het volgens Sarah koeler was. Daar ging Emily in kleermakerszit op de grond zitten zodat ze gemakkelijk bij de drank op de salontafel kon, en liet Sarah zich op de bank zakken.

'...En ik zal nooit Tenafly vergeten,' zei Sarah. 'Weet je nog dat we in Tenafly woonden? In dat soort gepleisterde huis met beneden de badkamer?'

'En of ik dat nog weet.'

'Ik was toen negen en jij moet een jaar of vijf geweest zijn; het was het eerste huis waar we na de scheiding woonden. Hoe dan ook, pappa kwam daar een keer bij ons op bezoek, en toen jij al in bed lag ging hij een eindje met me wandelen. We gingen in de drugstore een vanille-chocoladesorbet eten. En op weg naar huis... ik kan me die straat nog steeds herinneren, zoals die in een bocht liep... op weg naar huis zei hij "Goed als ik je iets vraag, schattebout?" Toen vroeg hij "Van wie hou je meer, van je moeder of van mij?"'

'Mijn God. Vroeg hij dat echt? En wat zei je?'

'Ik zei...' snufte Sarah. 'Ik zei dat ik erover moest nadenken. Ik wist natuurlijk best' – haar stem beefde en verloor zijn beheersing maar ze vond hem weer terug – 'ik wist dat ik veel, veel meer van hem hield dan van Pookie, maar het leek tegenover Pookie verschrikkelijk disloyaal om dat zo meteen maar te zeggen. Dus zei ik dat ik erover zou nadenken en het hem de volgende dag zeggen. Hij vroeg "Beloofd? Als ik je morgen opbel, vertel je het me dan?" En ik beloofde het. Ik weet nog dat ik Pookie die avond niet recht kon aankijken en niet erg goed sliep, maar toen hij opbelde vertelde ik het hem. Ik zei "Van jou, pappa", en ik dacht dat hij daar aan de telefoon ter plekke zou gaan huilen. Hij huilde veel, weet je.'

'Echt? Ik heb hem nooit zien huilen.'

'Het is echt zo. Hij was een heel emotioneel iemand. Hoe dan ook, hij zei: "Dat is heerlijk, lieverd", en ik herinner me dat ik opgelucht was dat hij niet huilde. Toen zei hij "Hoor eens. Zodra ik het een en ander kan regelen zorg ik dat je bij mij komt wonen. Het lukt misschien niet nu meteen, maar wel vlug, en dan zijn we altijd bij elkaar".'

'Mijn God,' zei Emily. 'En daarna heeft hij er natuurlijk nooit iets aan gedaan.'

'Ach, na een tijdje rekende ik er niet meer op dat het zo ver zou komen; ik dacht er niet meer over na.'

'En je moest bij Pookie en mij blijven wonen.' Emily pakte onhandig een sigaret. 'Ik had geen idee dat je iets dergelijks doormaakte.'

'Je moet het niet verkeerd begrijpen,' zei Sarah. 'Hij hield ook van jou; hij vroeg altijd naar je, vooral later, toen je volwassen werd... wat je voor iemand was, wat je graag voor je verjaardag zou willen hebben... je weet wel. Maar hij heeft je gewoon nooit erg goed leren kennen.'

'Weet ik.' Emily nam een whisky en voelde haar scherpe besef van melancholie versterkt door de manier waarop de alcohol rechtstreeks van haar verhemelte in haar bloedvaten leek te stromen. Ze moest nu een eigen verhaal vertellen; het was misschien niet zo triest als dat van Sarah, maar het kon ermee door. 'Weet je nog, Larchmont?' begon ze.

'Natuurlijk.'

'Nou, toen pappa dat jaar met Kerstmis kwam...' Ze vertelde hoe ze wakker gelegen had en ze haar ouders beneden aan één stuk had horen praten en hoe ze om haar moeder had geroepen, die naar gin ruikend boven was gekomen en gezegd had dat ze 'tot een nieuw wederzijds begrip kwamen' en hoe de volgende dag alle hoop verloren was.

Sarah knikte bevestigend. 'Ik weet het,' zei ze. 'Ik herinner me die avond. Ik was ook wakker. Ik hoorde je roepen.'

'O ja?'

'En ik hoorde Pookie naar boven komen. Ik was al net zo opgewonden als jij. En toen ben ik even later, misschien een half uur later, opgestaan en naar beneden gegaan.'

'Je bent naar beneden gegaan?'

'En er brandde niet veel licht in de woonkamer, maar ik kon zien dat ze samen op de bank lagen.'

Emily slikte. 'Je bedoelt dat ze... lagen te neuken?'

'Nou ja, er was niet veel licht, maar hij lag bovenop en het was... je weet wel... een heel hartstochtelijke omhelzing.' En Sarah hief snel haar glas om haar mond te verbergen.

'O,' zei Emily. 'Juist ja.'

Ze zeiden allebei een tijdje niets. Toen zei Emily 'Ik wou dat je me dat lang geleden verteld had, Sarah. Of nee, nu ik erover nadenk ben ik geloof ik blij dat je het niet gedaan hebt. Vertel me nog eens iets. Heb jij ooit begrepen waarom ze gescheiden zijn? O ja, ik ken háár versie van het verhaal... ze voelde zich "onderdrukt"; ze wilde haar vrijheid; ze vergeleek zich altijd met de vrouw uit *Een poppenhuis* van Ibsen.'

'*Een poppenhuis*, ja. Tja, dat was een dccl ervan; maar een paar jaar na de scheiding besloot ze dat ze bij hem terug wilde en wilde hij haar niet hebben.'

'Weet je dat zeker?'

'Absoluut.'

'Waarom niet?'

'Denk even na, Emmy. Als jij een man was, had je haar dan teruggenomen?'

Emily dacht erover na. 'Nee, maar waarom is hij dan ooit met haar getrouwd?'

'O, hij hield van haar; dat is buiten kijf. Hij zei een keer tegen me dat ze de meest fascinerende vrouw was die hij ooit had ontmoet.'

'Dat meen je niet.'

'Nou ja, misschien zei hij niet "fascinerend". Maar hij zei wel dat ze iemand behekste.'

Emily bestudeerde het glas in haar hand. 'Wanneer had je eigenlijk al die gesprekken met hem?'

'O, vooral in die tijd dat ik een beugel had. Ik hoefde niet elke week naar New York, begrijp je wel... van de tandarts hoefde ik maar een keer per maand te komen. Dat verhaal van elke week hadden pappa en ik verzonnen, zodat we meer tijd samen zouden hebben. Pookie is er nooit achter gekomen.'

'Ik ook niet.' En zelfs nu, op haar zesendertigste, was Emily nog jaloers. 'En wie was Irene Hammond?' vroeg ze. 'De vrouw die ik op pappa's begrafenis tegenkwam?'

'O, Irene Hammond was er pas de laatste paar jaar, tegen het eind van zijn leven. Er waren ook anderen.'

'Echt? Heb je ze ontmoet?'

'Sommigen. Een stuk of twee, drie.'

'Waren ze aardig?'

'Eentje vond ik helemaal niet aardig; de anderen gingen wel.'

'Waarom is hij nooit meer getrouwd, denk je?'

'Ik weet het niet. Hij zei een keer... dat was toen ik met Donald Clellon verloofd was... hij zei dat een man in zijn werk gelukkig moest zijn voor hij ging trouwen, en misschien lag het voor een deel daaraan. Hij was nooit gelukkig in zijn werk, begrijp je wel. Ik bedoel, hij had een beroemd journalist willen worden, zo iemand als Richard Harding Davis of Heywood Broun. Ik geloof dat hij nooit begrepen heeft waarom hij maar... je weet wel... maar bureauredacteur was.'

En dat deed de deur dicht. Ze hadden de hele namiddag, de hele avond, hun tranen ingehouden, maar die paar woorden waren net te veel. Sarah begon het eerst te huilen en Emily stond op van de grond om haar in haar armen te nemen en haar te troosten, tot bleek dat ze niemand troosten kon omdat zij ook huilde. Terwijl hun moeder dertig kilometer van hen vandaan in coma lag, klampten zij zich dronken aan elkaar vast en huilden om het verlies van hun vader.

Pookie stierf de volgende dag niet, of de dag daarna. Tegen het einde van de derde dag nam men aan dat haar toestand inmiddels 'stabiel' was, en Emily besloot naar huis te gaan. Ze wilde weer in haar appartement met airconditioning zijn, waar niets schimmelig rook en alles schoon was, en ze wilde weer aan het werk.

'Jammer dat we je niet vaker zien, Emmy,' zei Tony toen hij haar in zijn Thunderbird snel naar het station reed. Toen hij bij het perron parkeerde om op de trein te wachten, bedacht ze dat dit wellicht een kans uit duizenden was om de kwestie van de verkoop van het landhuis aan te snijden. Ze probeerde het tactvol aan te pakken, duidelijk te maken dat ze wist dat het haar niet aanging, te laten doorschemeren dat hij er vast wel eens eerder over had nagedacht.

'O, mijn God, ja,' zei hij terwijl ze het geluid van de naderende trein hoorden. 'Ik zou er dolgraag vanaf zijn. Van mij mogen ze een bulldozer nemen en de boel onderschoffelen. Als ik het voor het zeggen had, zou ik...'

'Je bedoelt dat jij het niet voor het zeggen hebt?'

'Nee nee, liefje; het ligt aan Sarah, begrijp je wel. Die zou er nooit van willen horen.'

'Maar Sarah zei dat ze het wil verkopen. Ze zei tegen me dat jij het niet wilde.'

'O?' zei hij, zo te zien verbijsterd. 'Werkelijk?'

De trein was nu met overweldigend lawaai vlakbij; er bleef Emily niets anders over dan afscheid nemen.

Toen ze op haar verdieping uit de lift stapte – de grote lul en ballen puilden nog steeds uit het behangselpaard – was ze haast te moe om op haar benen te staan. Het appartement was even koel en verwelkomend als ze geweten had en ze liet zich met haar hielen voor zich uit over de grond glijdend, in een diepe leunstoel zakken. Dit was vermoeidheid. Morgen zou ze met de ondergrondse naar Baldwin Advertising gaan, ze zou met alle intelligentie en competentie die ze tegenwoordig van haar verwachtten haar werk doen, en ze zou een week lang niet drinken, met uitzondering van een biertje of een glas wijn elke dag na het werk. Ze zou binnen de kortste keren weer zichzelf zijn.

Maar intussen was het pas acht uur 's avonds; er was niets in huis dat ze wilde lezen; niets op de televisie; er zat niets anders op dan hier te blijven zitten en in gedachten steeds de tijd in St. Charles aan zich voorbij te laten trekken. Het duurde niet lang of ze ijsbeerde met haar vuist in haar mond door de kamer. Toen ging haar telefoon.

'Emily?' vroeg een mannenstem. 'Wow, ben je er echt? Ik heb je steeds en steeds weer gebeld.'

'Met wie spreek ik?'

'Met Ted; Ted Banks... vrijdagavond, weet je nog? Ik bel je al vanaf zaterdagochtend... drie, vier keer per dag, maar je was nooit thuis. Gaat het goed met je?'

Nu ze zijn stem en zijn achternaam hoorde kwam het allemaal terug. Ze zag nu zijn onaantrekkelijke gezicht met de zware wenkbrauwen en herinnerde zich zijn gestalte en gewicht en hoe hij voelde; ze herinnerde zich alles. 'Ik was een paar dagen de stad uit,' zei ze. 'Mijn moeder was zwaar ziek.'

'O? Hoe is het nu met haar?'

'Het gaat... beter.'

'Mooi zo. Hoor eens, Emily, ten eerste wil ik mijn verontschuldigingen aanbieden... ik had in jaren niet zo veel gedronken. Ik ben er niet aan gewend.'

'Ik ook niet.'

'Dus als ik mezelf volkomen belachelijk heb gemaakt hierbij mijn excu...'

'Hindert niet; we deden allebei nogal dwaas.' Ze was niet moe meer, behalve dan op een aangename, welverdiende manier. Ze had een prettig gevoel over zich.

'Moet je horen: denk je dat ik je nog eens zou kunnen ontmoeten?'

'Natuurlijk, Ted.'

'O fantastisch; dat is fantastisch. Want ik wil je echt... Wanneer? Hoe vlug al?'

Ze keek met genoegen om zich heen naar haar appartement. Alles was schoon; alles was in gereedheid. 'Mm,' zei ze, 'dat maakt eigenlijk niet uit, Ted. Waarom niet vanavond? Geef me een half uur om me op te frissen en te verkleden en daarna... wat zal ik zeggen... kom dan hierheen.'

Hoofdstuk 4

Het verpleeghuis, een bescheiden episcopaal tehuis waarvoor de zusjes Grimes hun moeders verpleegkosten deelden, lag ongeveer halverwege de stad en St. Charles. Eerst ging Emily er eens per maand naartoe; later bracht ze dat terug tot drie of vier keer per jaar. Haar eerste bezoek, in de herfst na Pookies inzinking, was het meest gedenkwaardig.

'Emmy!' riep de oude vrouw, die half rechtop in haar ziekenhuisbed lag. 'Ik wíst dat je vandaag zou komen!'

Op het eerst gezicht zag ze er schokkend goed uit – haar ogen glansden en haar kunstgebit was in een triomfantelijke glimlach ontbloot – maar toen begon ze te praten. Haar vochtige mond brabbelde zwoegend lettergrepen in een langzame parodie op de manier waarop ze haar hele leven gepraat had.

'...En is het niet heerlijk zoals alles goed voor ons uitpakt? Stel je voor! Sarah is een heuse prinses, en moet je jóú zien! Ik heb altijd wel geweten dat onze familie iets bijzonders had.'

'Mm,' zei Emily. 'Nou ja, je ziet er goed uit. Hoe voel je je?'

'O, ik ben een beetje moe, maar ik ben o zo gelukkig... zo gelukkig, en zo trots op jullie allebei. Vooral op jou, Emmy. Er zijn een heleboel meisjes die met iemand van Europees koninklijk bloed trouwen... maar, zal ik je eens iets geks zeggen? Ik kan nog steeds zijn achternaam niet uitspreken!... maar hoeveel brengen het tot First Lady?'

'Heb je... heb je het hier prettig?'

'Ja hoor, het is hier best leuk... dat wist ik natuurlijk wel, dat het hier leuk zou zijn, zo helemaal in het Witte Huis gebouwd... maar ik zal je zeggen, lieverd.' Ze liet haar stem dalen tot een indringend toneelgefluister. 'Sommige van de zusters hier weten niet hoe ze zich moeten gedragen als ze met de schoonmoeder van de president te maken hebben. Hoe dan ook...' Ze liet zich weer tegen haar kussen zakken. 'Hoe dan ook, ik weet dat je het natuurlijk vreselijk druk hebt; ik zal je niet ophouden. Hij is laatst nog even bij me op bezoek geweest.'

'O ja?'

'O, een paar minuten maar, na zijn persconferentie, en hij noemde me Pookie en gaf me een kusje. Zo'n knappe verschijning, met die prachtige glimlach van hem. Hij heeft zo'n... zo'n flair. Denk je eens in! De jongste man in de Amerikaanse geschiedenis die ooit tot president werd gekozen.'

Emily bedacht zorgvuldig in het vooruit haar volgende zin. 'Pookie,' vroeg ze, 'droom je de laatste tijd veel?'

De oude vrouw knipperde een paar keer met haar ogen. 'Of ik droom; ja hoor. Soms...' Ze keek plotseling angstig. 'Soms droom ik akelig, echt afschuwelijke dromen over allerlei afschuwelijks, maar ik word altijd weer wakker.' Haar gezicht ontspande. 'En als ik dan wakker word is alles weer heerlijk...'

Op weg naar buiten, langs open deuren van vele prevelende zalen vol bedden en rolstoelen waarin ze zo nu en dan een glimp van het hoofd van een hoogbejaarde opving, ontdekte ze een zusterpost waar twee dikbenige jonge vrouwen in het wit koffie dronken en tijdschriften lazen.

'Neem me niet kwalijk. Ik ben de dochter van mevrouw Grimes... mevrouw Grimes in 2-F.'

Een van de verpleegsters zei 'O, dan bent u zeker mevrouw Kennedy', en de andere vroeg met een vermoeid glimlachje om aan te geven dat het maar een grapje was 'Mag ik een handtekening van u?'

'Dat wilde ik net vragen. Is ze altijd zo?'

'Soms; niet altijd.'

'Weet haar dokter ervan?'

'Dat zou u hem moeten vragen. De dokter is hier alleen op dinsdag- en vrijdagochtend.'

'Juist ja,' zei Emily. 'Moet u horen: kan ik in dit soort dingen beter met haar meepraten, of moet ik juist proberen...'

'Dat maakt niet veel uit, het een of het ander,' zei de verpleegster. 'Ik zou er niet over inzitten, mevrouw...?'

'Grimes; ik ben niet getrouwd.'

Pookies waanidee duurde niet lang. Ze leek de hele winter het grootste deel van de tijd te weten wie ze was, maar ze praatte veel minder samenhangend. Ze kon in haar stoel zitten en zelfs rondlopen, hoewel ze de grond een keer met urine bespetterde. Toen het voorjaar werd was ze inmiddels chagrijnig en zwijgzaam, zei ze alleen nog iets om over haar afnemende gezichtsvermogen en de verwaarlozing door de verpleging en het gebrek aan sigaretten te klagen. Op een keer, toen ze geëist had dat de verpleegster haar een lippenstift en een spiegel zou brengen, bestudeerde ze haar fronsende spiegelbeeld en kladde een volle, knalrode mond op het spiegelglas.

In de loop van dat jaar werd Emily bevorderd tot chef-tekstredacteur van Baldwin Advertising. Hannah Baldwin, een goed verzorgde energieke 'meid' van in de vijftig van wie iedereen weten mocht dat Baldwin Advertising een van de slechts drie New Yorkse reclamebureaus was waar een vrouw aan het hoofd stond, zei dat ze goede vooruitzichten bij hen had. 'We zijn dol op je Emily,' zei ze meer dan eens, en Emily moest bekennen dat dit wederzijds was. Nou ja, niet echt dol op – niet van twee kanten – eerder zoiets als wederzijds respect en een gevoel van voldoening. Ze had plezier in haar werk.

Maar ze had heel veel meer plezier in haar vrije tijd. Ted Banks duurde maar een paar maanden, het grootste probleem was dat ze allebei een onbedwingbare neiging hadden om te veel te drinken als ze samen waren, alsof ze elkaar nuchter niet wilden aanraken.

Met Michael Hogan had alles een veel intelligentere basis. Michael was een ongepolijste, energieke, verrassend tedere man; hij had een klein reclamebureau maar praatte zo weinig over zijn werk dat ze soms vergat wat hij voor zijn brood deed, en het beste aan hem was nog dat hij bijna geen emotionele aanspraken op haar maakte. Je zou zelfs kunnen zeggen dat ze dikke vrienden waren: er konden hele weken voorbijgaan zonder dat ze iets van hem hoorde en haar dat iets kon schelen, en als hij dan belde ('Emily? Zin om vanavond iets te gaan eten?') was het of ze nooit uit elkaar waren geweest. Ze vonden het allebei prettig, zo.

'Zal ik je eens iets zeggen?' zei ze een keer tegen hem. 'Er zijn niet zo veel mensen met wie de zondag doorbrengen leuk kan zijn.'

'Mm,' zei hij. Hij stond zich vlak achter de deuropening van zijn badkamer te scheren; zij lag in zijn grote tweepersoonsbed tegen kussens geleund zijn *The New York Times Book Review* door te bladeren.

Ze sloeg een bladzijde om en een foto van Jack Flanders sprong haar in het oog, zijn gezicht veel ouder en ook triester dan toen ze hem voor het laatst gezien had. Er stonden foto's van nog drie mannen in de paginalange recensie onder de kop BIJEENGEDREVEN LENTEGEDICHTEN; ze keek vluchtig de kolommen door en vond het stuk over Jack.

Op middelbare leeftijd heeft de vroeger zo explosieve Jack Flanders zich neergelegd bij een aimabele aanvaarding van wat nu eenmaal zo is – zo nu en dan met een steek van spijt over wat voorbij is. *Dagen en Nachten*, zijn vierde bundel, geeft blijk van het zorgvuldige vakmanschap dat we van hem zijn gaan verwachten, maar al te vaak valt er voor het overige weinig te bewonderen. Zijn aanvaarding en spijt genoeg? Voor het dagelijks leven misschien wel – maar niet, is de gerede twijfel, voor de hogere eisen van de kunst. De lezer mist het oude vuur van Flanders.

Sommige van de liefdesgedichten zijn aangrijpend, in het bijzonder 'Eikenboom in Iowa', met zijn sterke erotische eindstrofe, en 'Huwelijksaanzoek', met zijn eigenaardige openingsregels 'Ik zie je spelen met de hond en vraag me af / Wat wil dit meisje van me?' Maar elders heb je de neiging het ene gedicht na het andere als clichématig of sentimenteel af te doen.

Het lange slotgedicht had misschien beter uit het manuscript gehaald kunnen worden voor het naar de drukker ging. Zelfs de titel is onhandig – 'Herinnering aan weergezien Londen' – en het gedicht zelf is een verbijsterende oefening in dubbele flashbacks: de dichter betreurt het moment dat hij voor een Londense deuropening stond en intussen een ander, vroeger moment betreurde. Hoeveel verdriet kan een gedicht in zich dragen zonder bespottelijk te worden?

De lezer sluit deze dunne bundel met iets van het spijt-in-spijt onbehagen van de dichter zelf en veel te weinig van diens hoop.

Als we het briljante, vermetele nieuwe werk van William Krueger openslaan treffen we daar aan wat alleen een overvloed aan poëtische rijkdom kan worden genoemd...

Het zoemen van Michael Hogans elektrische scheerapparaat was al een tijdje geleden opgehouden; ze keek op en zag dat hij over haar schouder meegluurde.

'Wat is daar zo belangrijk aan?' vroeg hij.

'Niets; gewoon iets over een man die ik vroeger kende.'

'O? Welke?'

Er stonden vier foto's op de bladzijde, ze had eenvoudig een van de anderen – zelfs Krueger – kunnen aanwijzen en Michael Hogan zou het nooit weten, of zich er iets aan gelegen laten liggen, maar ze voelde de oude vertrouwde loyaliteit opkomen. 'Hem,' zei ze, en ze raakte met haar wijsvinger Jacks gezicht aan.

'Ziet eruit alsof hij geen vriend meer over heeft,' zei Michael Hogan.

Op een vrijdagochtend belde Sarah Emily op kantoor om vrolijk te vragen of ze tijd had om te gaan lunchen.

'Je wilt zeggen dat je in de stad bent?'

'Ja, klopt.'

'Prima,' zei Emily. 'Is er een speciale reden?'

'Tony moest hier vandaag toch naar een vergadering, dat ook, maar de voornaamste reden is dat we voor vanavond kaartjes hebben om naar Roderick Hamilton in *Come Home, Stranger* te gaan en daarna, na de voorstelling, ontmoeten we hem achter het toneel.'

Roderick Hamilton was een beroemde Engelse acteur die sinds kort met zijn nieuwe stuk in New York stond. 'Wat enig,' zei Emily.

'Tony en hij zijn in Engeland samen op school geweest, begrijp je wel... had ik je dat al eens verteld?'

'Ja, ik geloof van wel.'

132

'Eerst was Tony te verlegen om te schrijven, maar ik heb hem ertoe gedwongen, en we kregen een echt ontzettend aardige, echt ontzettend charmante brief terug waarin hij schreef dat hij zich Tony uiteraard herinnerde en dat hij hem graag weer eens wilde ontmoeten, en met mij kennis wilde maken. Opwindend, vind je niet?'

'Zeg dat wel.'

'Dus moet je horen. We logeren in het Roosevelt Hotel en Tony is de hele dag weg. Waarom kom je niet hier lunchen? Ze hebben hier een ontzettend leuk restaurant dat de Rough Rider Room heet.'

'Goh,' zei Emily. 'Dat klinkt heel toepasselijk voor zo'n stel ouwe cowgirls als wij.'

'Hè?'

'Laat maar. Schikt één uur jou?'

Toen ze het restaurant binnenkwam dacht ze dat Sarah er nog niet was – aan alle tafeltjes zaten onbekenden – maar toen zag ze dat een alleen zittende, mollige, kleine, opgedirkte matrone naar haar glimlachte.

'Kom erbij zitten, lieverd,' zei Sarah. 'Je ziet er beeldschoon uit.'

'Jij ook,' zei Emily, maar dat was niet waar. In St. Charles, in vrijetijdskleding, zag Sarah er misschien zo oud uit als ze was – en dat was éénenveertig, rekende Emily snel uit – maar hier leek ze ouder. Om haar ogen zaten rimpeltjes en schaduwen en ze had een onderkin. Ze had afhangende schouders. Ze had kennelijk niet geweten welke van een aantal felgekleurde namaakjuwelen ze bij haar goedkope beige mantelpak zou aantrekken en had het probleem opgelost door ze allemaal aan te doen. Haar tanden hadden in het afgelopen jaar donkerbruine vlekken gekregen.

'Iets van de bar, dames?' informeerde de kelner.

'Hè, ja,' zei Sarah. 'Ik wil wel graag een martini extra dry, zonder ijs, met een citroenschilletje.'

Emily bestelde een glas witte wijn ('Ik moet vanmiddag nog werken') en ze deden allebei hun best om zich te ontspannen.

'Weet je,' zei Sarah, 'ik zat net te denken. Dit is voor het eerst in negen jaar dat ik in New York ben. Grappig, hoe alles veranderd is.'

133

'Je zou vaker moeten komen.'

'Weet ik; ik zou het heerlijk vinden; maar Tony heeft er zo'n hekel aan. Hij heeft een hekel aan het verkeer, en hij zegt dat alles te duur is.'

'Mm.'

'Hé!' zei Sarah, en ze vrolijkte weer op. 'Heb ik je nog verteld dat we bericht van Tony junior kregen?' Een paar maanden geleden, nadat hij zijn verhouding met de gescheiden vrouw had verbroken (ze had een oudere man gevonden), was Tony junior vertrokken om dienst te nemen bij het korps landingsstoottroepen. 'Hij zit in Camp Pendleton, Californië, en hij heeft ons een leuke lange brief gestuurd,' zei Sarah. 'Tony is natuurlijk nog steeds woedend op hem... hij heeft zelfs gedreigd om hem te ontérven...'

'Hem waarvan te onterven?'

'...Nou ja, je weet wel, hem niet meer te willen kennen; maar ik denk dat deze ervaring hem oneindig veel goed zal doen.'

'En hoe maken de andere jongens het?'

'O, Peter heeft het druk met studeren, hij staat elk semester weer op de lijst van de beste studenten, en Eric... dat is bij Eric moeilijk te zeggen. Hij is nog steeds gek van auto's.'

Daarna kwam het gesprek op hun moeder, bij wie Emily al een tijdje niet op bezoek was geweest. De maatschappelijk werker in het verpleeghuis had haar gebeld, zei Sarah, om te zeggen dat Pookie een disciplinair probleem ging vormen.

'Hoe bedoel je, een disciplinair probleem?'

'Nou ja, hij zei dat ze dingen doet waarvan de andere patiënten in de war raken. Zo is ze een keer om een uur of vier 's nachts naar een zaal met oude mannen gegaan en heeft gezegd "Waarom ben je nog niet klaar? Ben je soms vergeten dat het onze trouwdag is?" En ze hield er kennelijk maar niet over op, tot die oude man de verpleging moest roepen om haar terug te brengen.'

'O, mijn God.'

'Nee hoor, hij praatte er heel aardig over... die maatschappelijk werker, bedoel ik. Hij zei alleen dat we haar daar weg zullen moeten halen als dat soort gedrag aanhoudt.'

'Ja, maar waar... ik bedoel, waar moeten we haar láten?'

134

Sarah stak een sigaret op. 'Central Islip, denk ik zo,' zei ze, terwijl ze de rook uitblies.

'Wat is dat?'

'De staatsverpleeginrichting. Het is gratis. Nou ja, maar ik heb gehoord dat het er heel prettig is.'

'Juist, ja,' zei Emily.

Bij haar tweede martini deed Sarah een verlegen mededeling. 'Ik denk dat ik deze eigenlijk moet laten staan,' zei ze. 'Mijn dokter zegt dat ik te veel drink.'

'O ja?'

'Nou ja, het was geen macabere waarschuwing of zo; hij zei alleen dat ik moest minderen. Hij zei dat ik een... je weet wel... een vergrote lever heb. Ik weet het niet. Laten we niet meer over trieste dingen praten. Ik krijg je haast nooit te zien, Emmy, en ik wil alles over je baan en je liefdesleven en dat soort dingen horen. Bovendien word ik vanavond voorgesteld aan Roderick Hámilton en ik wil in een goed humeur zijn. We gaan hier iets leuks van maken.'

Maar een paar minuten later keek ze weemoedig het restaurant rond. 'Best leuk hier, vind je niet,' zei ze. 'Het is een van de restaurants waar pappa me mee naartoe nam voor hij me op de trein zette. We gingen ook wel eens naar het Baltimore, of het Commodore, maar dit herinner ik me het best. De kelners kenden hem hier, en ze kenden mij ook. Ze brachten me altijd een dubbele portie ijs terwijl pappa zijn dubbele whisky dronk, en dan praatten we wat af...'

Later kon Emily zich niet herinneren of Sarah nu drie of vier martini's dronk bij die lunch in de Rough Rider Room; ze herinnerde zich alleen dat toen hun kip met champignonsaus eenmaal kwam, zij zelf beneveld was van de wijn en Sarah heel weinig van haar portie opat. En ze dronk ook haar koffie niet op.

'O, jeetje, Emmy,' zei ze. 'Ik geloof dat ik een beetje dronken ben. Bespottelijk, vind je niet? Ik weet niet waarom ik... maar wat hindert het ook. Ik kan boven een dutje doen. Ik heb nog tijd zat voor Tony terugkomt; daarna gaan we eten en naar het theater en ben ik weer in orde.'

Ze kon niet zonder hulp uit haar stoel komen. Ze kon ook niet zonder hulp door het restaurant lopen – Emily hield haar hoog onder één zachte arm vast – of door de gang naar de liften lopen.

'Het gaat best, Emmy,' zei ze steeds maar. 'Het gaat best. Ik red het wel.' Maar Emily liet haar pas los toen ze boven, in de kamer waren, waar Sarah wankelend een paar stappen nam en op het tweepersoonsbed in elkaar zakte. 'Het gaat best,' zei ze. 'Ik ga nu even slapen en dan ben ik weer in orde.'

'Wil je je kleren niet uitdoen?'

'Hindert niet. Maak je daar maar geen zorgen over. Ik ben zo weer in orde.'

En Emily ging terug naar kantoor voor een middag werk waar haar gedachten niet bij waren. Pas tegen vijven kreeg ze een gevoel van schuldig plezier: nu ze haar zus gezien had zou het wellicht vele maanden – misschien jaren – duren voordat ze haar weer zou moeten zien.

Dit zou een avond alleen worden; en soms, als ze het allemaal goed plande, bleek ze het helemaal niet erg te vinden om alleen te zijn. Eerst trok ze iets gemakkelijks aan en zette in de kitchenette de ingrediënten voor haar lichte avondmaaltijd klaar, toen schonk ze zich iets te drinken in – nooit meer dan twee – en keek naar de CBS nieuwsberichten van die avond. Straks, als ze gegeten had en de vaat gedaan, zou ze met een boek in haar leunstoel gaan zitten of op haar bank gaan liggen lezen, en de uren zouden ongeteld voorbijgaan tot het tijd was om naar bed te gaan.

Toen om negen uur de telefoon ging schrok ze op, en bij het zwakke, klaaglijke geluid van Sarahs stem – 'Emmy?' – kwam ze snel overeind. 'Moet je horen,' zei Sarah. 'Ik vind het naar om je dit te vragen, maar denk je dat je hierheen zou kunnen komen? Naar het hotel?'

'Wat is er? Waarom ben je niet in het theater?'

'Ik... ik ben niet gegaan. Ik leg het je wel uit als ik je zie, oké?'

Emmy probeerde de hele weg van Gramercy Park naar Fourty-fifth Street, in een taxi die om de haverklap vastzat in een verkeersopstopping, aan niets te denken; ze probeerde nog steeds aan niets te denken toen ze over de vloerbedekking van de lange gang naar Sarahs deur liep, die zo'n vijf centimeter openstond. Ze overwoog hem open te duwen, maar klopte toch maar aan.

'Anthony?' riep Sarahs stem verlegen, hoopvol.

'Nee, schatje, ik ben het.'

'O. Kom maar binnen, Emily.'

Emily liep de donkere kamer in en liet de deur met een klik achter zich dichtvallen. 'Ben je niet in orde?' vroeg ze. 'Waar zit het lichtknopje?'

'Doe nog maar niet aan. Laten we eerst even praten, oké?'

Bij het vage blauwe licht van het raam kon Emily zien dat Sarah op bed lag zoals ze haar die middag had achtergelaten, alleen was het bed nu onopgemaakt en lag ze zo te zien enkel in haar onderjurk.

'Dit spijt me ontzettend, Emmy; ik had je waarschijnlijk niet moeten bellen, maar het punt is... nou ja, ik zal bij het begin beginnen, oké? Toen Tony terugkwam was ik nog steeds... je weet wel... nog steeds dronken, denk ik, en daar kregen we een verschrikkelijke ruzie over en hij zei dat hij niet met mij naar dat toneelstuk ging, en hij... hoe dan ook, hij is er alleen naartoe gegaan.'

'Hij is alleen naar dat toneelstuk gegaan?'

'Dat klopt. Maar dat kun je hem niet kwalijk nemen; ik was écht niet in een toestand om aan Roderick Hamilton te worden voorgesteld; dat deel ervan is allemaal mijn schuld. Maar ik... het punt is, jij en ik hadden van de zomer zulke goede gesprekken, en toen heb ik je gewoon opgebeld omdat ik eigenlijk wel iemand nodig had om mee te praten.'

'Juist ja. Nou. Ik ben blij dat je gebeld hebt. Mag ik nu het licht aandoen?'

'Ach ja, doe maar.'

Emily tastte langs de muur naar het lichtknopje en toen ze het vond explodeerde de kamer tot helderheid. Er zat bloed op de verwarde lakens en op het kussen; er zat bloed op de voorkant van Sarahs onderjurk, en overal op haar opgezwollen, trillende gezicht, en in haar haar.

Emily ging in een stoel zitten en hield haar hand boven haar ogen tegen het licht. 'Dit is niet te geloven,' zei ze. 'Dit is absoluut niet te geloven. Je wilt zeggen dat hij je geslágen heeft?'

'Ja, klopt. Mag ik een sigaret van je?'

'Ja, maar Sarah, ben je erg gewond? Laat me eens kijken.'

'Nee, niet doen. Niet dichter bij komen, oké. Het komt wel

weer goed met me. Als ik maar even kan opstaan om mijn gezicht te wassen, komt het wel weer... dat had ik moeten doen voor je kwam.' Ze kwam met moeite uit bed en liep met wankele stappen naar de badkamer, waaruit het geluid kwam van water dat in de wasbak stroomde. 'Mijn God,' riep ze achterom. 'Kun je je voorstellen dat dít gezicht achter het toneel aan Roderick Hamilton zou worden voorgesteld?'

'Sarah, hoor eens,' zei Emily toen ze weer samen in de slaapkamer waren. 'Je moet me toch eens een paar dingen vertellen. Is dit wel eens eerder gebeurd?'

Het was Sarah gelukt haar gezicht bijna schoon te krijgen; ze had een badjas aan en rookte een sigaret. 'O ja,' zei ze. 'De hele tijd. Ik schat dat het nu al zo'n... nou ja, twintig jaar... een of twee keer per maand gebeurd. Het is meestal niet zo erg als nu.'

'En dat heb je nooit tegen iemand verteld.'

'Ik had het bijna, jaren geleden, tegen Geoffrey verteld. Hij zag een blauwe plek op mijn gezicht en vroeg ernaar en ik had het hem bijna verteld, maar ik dacht: Nee, dat zou het alleen maar erger maken. Ik weet het niet; ik zou het denk ik wel tegen pappa verteld hebben, als hij nog geleefd had. De jongens zijn er een paar keer getuige van geweest. Tony junior heeft eens tegen hem gezegd dat, als hij dat nog een keer zag, hij hem dan zou vermoorden. Dat zei hij tegen zijn eigen vader.'

Op een laag kastje tegen de muur stonden drankflessen en een ijsemmer, en Emily keer er verlangend naar. Het enige wat ze hoefde te doen was zichzelf inschenken – en ze kon een stevige borrel gebruiken – maar ze dwong zich op haar stoel te blijven zitten, nog steeds met haar hand boven haar ogen alsof ze haar zus niet recht kon aankijken. 'O, Sarah,' zei ze. 'O, Sarah. Waarom accepteer je dat?'

'Het is een huwelijk,' zei Sarah. 'Als je getrouwd wilt blijven leer je dingen te accepteren. Bovendien hou ik van die vent.'

'Hoe bedoel je, "hou ik van die vent"? Dat klinkt als een claus uit de een of andere banale... Hoe kun je van iemand "houden" als hij je behandelt alsof je...'

Er kraste een sleutel en draaide in het slot, en Emily ging staan om hem recht te kunnen aankijken. Ze had haar openingswoorden voorbereid en paraat.

Hij kwam met zijn ogen knipperend van verrassing om haar te zien de kamer in. Zijn uitdrukkingsloze gezicht stond een beetje dronken en hij droeg voor die avond een donker zomerpak dat Sarah waarschijnlijk in een goedkoop warenhuis in een buitenwijk op de kop had getikt.

'Hoe was het toneelstuk, vuile rotschoft?' vroeg Emily.

'Niet doen, Emmy,' zei Sarah.

'Wát niet doen? Wordt het niet eens tijd dat hier iemand de dingen bij de naam noemt? En, hoe was het bij Roderick Hamilton, vuile vrouwenmeppende klootzak die je bent?'

Tony negeerde haar, hij liep met het gezicht van een geminacht jongetje dat zijn kwelgeesten negeert langs haar heen, maar de kamer was zo klein dat hij op weg naar het drankkastje rakelings langs haar moest. Hij zette drie grote, hotelkamer-waterglazen klaar en begon whisky in te schenken.

Zijn zwijgzaamheid bracht haar niet van de wijs en ze besloot dat als hij haar een whisky aangaf, ze hem die in zijn gezicht zou gooien, maar eerst waren er nog een paar dingen die gezegd moesten worden. 'Je bent een neanderthaler,' zei ze, zich herinnerend hoe Andrew Crawford hem lang geleden genoemd had. 'Je bent een vuile fascist. En ik zweer... luister je naar me? Ik zweer bij God dat als je ooit nog een vinger naar mijn zuster uitsteekt...' De enige manier om de zin af te maken was het herhalen van Tony juniors dreigement – en ze herhaalde het: 'Dan vermoord ik je.'

Ze dronk – hij had haar kennelijk toch een whisky gegeven en ze had die kennelijk zonder erbij na te denken aangepakt – en pas nu, terwijl de alcohol zich warm door haar borst en armen verspreidde, drong langzaam tot haar door hoe ze zich hiermee amuseerde. Het was prachtig om zo hartstochtelijk gelijk te hebben in een kwestie die zo duidelijk lag – het strijdlustige kleine zusje als wrekende engel; ze wenste dat deze stimulerende vrolijkheid nooit zou ophouden. Maar toen ze een blik op Sarah wierp, wenste ze dat Sarah niet haar gezicht gewassen en haar onderjurk bedekt en het beddengoed rechtgetrokken had om de bloedvlekken te verbergen; zoals het eerst was, had het een dramatischer aanblik geboden.

'Het is wel goed, Emmy,' zei Sarah op dezelfde kalmerende, begrijpende toon als toen ze kinderen waren op momenten dat Emmy onhandelbaar was. Sarah had nu ook een whisky in haar hand; Emily was even bang dat ze zou moeten toekijken hoe Tony naast zijn vrouw op het bed ging zitten en ze het oude vertrouwde, glimlachende Anatole-ritueel met de verstrengelde armen gingen opvoeren, maar dat gebeurde niet.

Tony leek aan Sarahs 'Het is wel goed, Emmy' zelfbeheersing te ontlenen; hij keek Emmy voor het eerst, met een dolmakend spoortje van een glimlach, recht aan en zei 'Valt niet echt veel over te zeggen, vin' je niet? Wil je niet gaat zitten?'

'Dat wil ik níét,' antwoordde ze, en bedierf het effect van die woorden onmiddellijk door nog een lange teug uit haar glas te nemen. Het intense plezier van de confrontatie was verdwenen. Ze voelde zich een schrille indringer in iets dat haar niet aanging. Het lukte haar voor ze vertrok nog een paar klaaglijke uiteenzettingen ten beste te geven – woorden die ze zich later niet kon herinneren, ongetwijfeld herhalingen van Tony juniors en haar eigen loze dreigement om hem te vermoorden – en ze vroeg Sarah een paar keer, met wat als gespeelde bezorgdheid klonk, of ze het echt wel zou 'redden'; even later stond ze in de lift en nog wat later was ze thuis en voelde zich belachelijk.

Ze moest al haar wilskracht gebruiken om niet Michael Hogan te bellen ('Ik heb gewoon zo'n gevoel dat ik vanavond niet alleen kan zijn,' zou ze gezegd hebben, 'en ik moet nog het hele weekend door...'); in plaats ervan dronk ze in haar eentje nog een paar whisky's en ging naar bed.

Aan het eind van de volgende ochtend ging de telefoon en ze wist bijna zeker dat het Michael Hogan zou zijn ('Zin om vanavond iets te gaan eten?') maar dat was niet zo.

'Emmy?'

'Sarah? Gaat het een beetje met je? Waar ben je?'

'In Manhattan – ik sta in een telefooncel. Tony is teruggereden, maar ik heb gezegd dat ik in de stad wilde blijven. Ik wilde zo'n beetje over alles nadenken. Ik heb in het park zitten...'

'Je zit in het park?'

'Washington Square. Gek zoals alles veranderd is. Ik wist niet dat ons oude huis verdwenen was.'

'Dat hele blok is jaren geleden afgebroken,' zei Emily, 'toen ze dat studentencentrum gebouwd hebben.'

'O. Nou ja, dat wist ik niet. Hoe dan ook, ik dacht, als je niets bijzonders te doen hebt, kun je misschien hier naar me toe komen. We zouden kunnen gaan ontbijten, of brunchen of zoiets.'

'Ja ja,' zei Emily, 'ja natuurlijk. Waar tref ik je?'

'Ik ben in het park, oké? Op een van de banken vlak bij waar ons oude huis stond. Je hoeft je niet te haasten; doe maar rustig aan.'

Op weg naar Washington Square woog Emily de mogelijkheden tegen elkaar af. Als Sarah bij haar man weg was, wilde ze wellicht een tijdje – misschien wel een hele tijd – bij haar zuster komen logeren, hetgeen Michael Hogan slecht zou uitkomen. Maar ach, Michael had zijn eigen appartement; daar konden ze wel iets op verzinnen. Aan de andere kant, misschien dacht ze echt alleen maar 'zo'n beetje over alles na'; misschien ging ze vanavond terug naar St. Charles.

Het park was een en al kinderwagens en lachende, atletische jongemannen die frisbees gooiden. De aanleg van het park was volledig veranderd – de paden liepen nu alle kanten op – maar het kostte Emily geen moeite om zich in het voorbijlopen te herinneren waar Warren Maddock, of Maddox, haar zo ongeveer had opgepikt.

Sarah zag er op haar bankje even meelijkwekkend uit als Emily zich had voorgesteld – klein en sjofel in haar gekreukte beige, haar zachte gezicht met blauwe plekken opgeheven naar de zon en bijna zichtbaar genietend van droombeelden uit een andere tijd.

Emily nam haar mee naar een koele, keurige tearoom (als ze naar een echt restaurant gingen, zouden daar onweerstaanbare bloody mary's of glazen bier zijn, wist ze) en een uur of twee praatten ze in kringetjes rond.

'...Zo komen we nergens, Sarah,' zei ze ten slotte. 'Je zegt te weten dat je eigenlijk bij hem weg moet; je zegt zelfs bij hem weg te wíllen, maar als we ons dan in de praktische kanten van de zaak gaan verdiepen kom je weer met dat gedoe over "ik hou van die vent". We praten in kringetjes rond.'

Sarah keek naar de gestolde resten van de eieren en worst op haar bord. 'Ik weet het,' zei ze. 'Ik praat altijd in kringetjes rond en jij praat altijd rechtlijnig. Ik wou dat ik jouw hersens had.'

'Het is geen kwestie van "hersens", Sarah, het is gewoon...'

'Ja, dat is het wel. We zijn heel anders, jij en ik. Ik zeg niet dat de ene manier om de dingen te bekijken beter is dan de andere, het is gewoon dat ik het huwelijk altijd als... nou ja, heilig, beschouwde. Ik verlang niet dat anderen er net zo over denken, maar zo ben ik nu eenmaal. Ik was maagd toen ik trouwde en dat ben altijd gebleven. Ik bedoel,' zei ze er snel achteraan, 'je wéét wel... ik ben nooit vreemdgegaan of zo.' Bij de woorden 'vreemdgegaan of zo' bracht ze snel haar sigaret naar haar lippen en keek er met half-dichte ogen overheen, om haar verlegenheid te verbergen of een versluierd raffinement te suggereren.

'Dat is mooi,' zei Emily. 'Maar als het huwelijk heilig is, houdt dat dan niet in dat beide partijen het daarover eens moeten zijn? Wat is er heilig aan de manier waarop Tony jou behandelt?'

'Hij kan niet beter, Emmy. Ik weet dat dit misschien raar klinkt, maar het is waar.'

Emily blies een grote rookwolk uit, leunde achterover en keek de zaak rond. Aan een tafeltje aan de overkant van het pad praatte zacht een jong, verliefd paar, naast elkaar, terwijl de vingers van het meisje ovale patroontjes op de binnenkant van de dij van de strakke, lichtblauw verschoten jeans van de jongen tekende.

'Moet je horen, Sarah,' zei ze. 'Laten we in dit gesprek terug-gaan naar waar we een paar minuten geleden waren. Je kunt zo lang bij mij logeren als je wilt. We kunnen samen ons best doen een appartement voor je te vinden, en een baan. En je hoeft het niet als een duurzame scheiding te beschouwen; beschouw het maar als...'

'Weet ik, lieverd, en het is heel lief van je, maar er zijn zo veel complicaties. Zoals, wat zou ik nou helemaal kúnnen?'

'Je zou van alles en nog wat kunnen,' zei Emily, hoewel ze al-leen een Sarah voor zich zag die als receptioniste in een dokters- of tandartsenpraktijk werkte. (Waar kwamen al die vriendelijke, inefficiënte dames van middelbare leeftijd toch vandaan en hoe hadden ze hun baan gekregen?) 'Dat is niet belangrijk,' praatte ze haastig verder. 'Het enig belangrijke is nu dat je een besluit moet nemen. Of je gaat terug naar St. Charles of je begint hier voor jezelf een nieuw leven.'

Sarah zweeg, alsof ze om de schijn op te houden deed of ze erover nadacht; toen zei ze 'Ik geloof dat ik beter terug kan gaan', zoals Emily geweten had dat ze zeggen zou. 'Ik neem vanmiddag de trein terug.'

'Waarom?' vroeg Emily. Omdat hij je "nodig heeft"?'

'We hebben elkaar nodig.'

Dus was het geregeld: Sarah ging terug; al Emily's dagen en nachten zouden vrij zijn voor Michael Hogan en voor welke man dan ook die hem wellicht in de lange reeks zou opvolgen. Ze moest toegeven dat ze opgelucht was, maar het was een opluchting die ze niet mocht laten blijken. 'En waar je echt bang voor bent,' zei ze met de bedoeling een honende opmerking te maken, 'waar je echt bang voor bent is dat Tony misschien bij jóú weggaat.'

Sarah sloeg haar ogen neer zodat het dunne blauwwitte littekentje te zien kwam. 'Dat klopt,' zei ze.

Deel 3

Hoofdstuk 1

Als Emily de eerste jaren daarna over haar zusje nadacht – en dat was niet zo vaak – hield ze zich voor dat ze haar best had gedaan. Ze had Tony gezegd hoe ze erover dacht en ze had Sarah een toevluchtsoord geboden. Had iemand meer kunnen doen?

Soms bleek Sarah ook een interessant gespreksonderwerp met mannen te vormen.

'Ik heb een zus met een man die haar de hele tijd slaat,' zei ze dan.

'O ja? Haar echt sláát?'

'Haar echt slaat. Hij slaat haar al twintig jaar. En zal ik je eens iets geks zeggen? Ik weet dat dit vreselijk klinkt, zo over mijn eigen zus, maar ik geloof dat ze het eigenlijk wel lekker vindt.'

'Lekker vindt?'

'Nou ja, misschien niet echt lekker vindt, maar ze neemt het op de koop toe. Ze gelooft in het huwelijk, begrijp je wel. Ze zei een keer tegen me "Ik was maagd toen ik trouwde en dat ben ik altijd gebleven." Heb je ooit zoiets krankzinnigs gehoord?'

Als ze zo met een man praatte – gewoonlijk half dronken, gewoonlijk 's avonds laat – had ze daar later hevig spijt van; maar ze kon haar schuldgevoel gemakkelijk onderdrukken door te zweren dat ze het nooit meer zou doen.

Bovendien had ze geen tijd om bezorgd te zijn. Ze had het druk. Begin 1965 haalde Baldwin Advertising binnen wat Hannah Baldwin een droom van een account noemde: National Carbon, met een nieuwe synthetische vezel Tynol die bijna zeker een revolutie in de textielindustrie teweeg zou brengen. 'Bedenk wat nylon gedaan heeft!' jubelde Hannah. 'De mogelijkheden zijn eindeloos en we treffen het dat we er aan het begin instappen.'

Emily werkte een reeks advertenties uit om de vezel in de markt te zetten en Hannah vond ze schitterend. 'Mooi werk, lieverd,' zei ze. 'Ze zullen niet weten wat ze zien.'

Maar er kwam een kink in de kabel. 'Ik heb geen idee wat er fout zit,' zei Hannah tegen Emily. 'Daarnet belde de juridisch adviseur van National Carbon; hij wil dat je daar met hem over de campagne komt praten. Hij wilde aan de telefoon niets zeggen, maar hij klonk erg bars. Hij heet Dunninger.'

Ze trof hem hoog in een enorme staal-met-glazen kantoorflat, alleen in zijn kamer met vloerbedekking. Hij was groot en stevig, met een zware kaak en een stem die maakte dat ze zich wilde oprollen om als een jong poesje in zijn zak te worden meegedragen.

'Geef mij uw jas maar, juffrouw Grimes,' zei hij. 'Gaat u zitten... nee, komt u hier naast me zitten; dan kunnen we het materiaal samen doornemen. Ik vind het in het geheel genomen prima,' begon hij, en terwijl hij praatte keek ze met een verkennende blik over de ontwerpen en kopijbladen heen naar de rest van de weidse vlakte die zijn bureau was. De enige decoratie was een foto van een beeldschoon donkerharig meisje, waarschijnlijk zijn dochter; ze woonden natuurlijk in Connecticut en elke dag speelde hij bij thuiskomst vlug even een partijtje tennis met haar, waarna ze zich gingen douchen en verkleden en zich bij mevrouw Dunninger in de bibliotheek voegden om daar een cocktail te drinken. En wat zou mevrouw Dunninger voor iemand zijn?

'...Maar er is één punt,' zei hij nu. 'Eén uitdrukking, en dat is jammer genoeg een zinsnede die steeds weer in uw, eh, kopij voorkomt. Tynol heeft de "natuurlijke elegantie van wol", zegt u. Dat zou gemakkelijk als een valse voorstelling van zaken kunnen worden opgevat, begrijpt u wel, waar we het toch over een synthetische stof hebben. Ik ben bang dat als we het erin laten, we de warenautoriteit op ons dak krijgen.'

'Ik begrijp het niet,' zei Emily. 'Als ik zeg dat u "het geduld van een engel hebt", dan betekent dat toch niet dat u er eentje bent?'

'Aha.' Hij leunde in zijn stoel achterover en glimlachte tegen haar. 'Maar als ik zeg "U hebt de ogen van een lichtekooi", laat dit wellicht toch ruimte voor twijfel.'

Ze bleven langer zitten lachen en praten dan voor het werk nodig was en het moest haar wel opvallen dat hij verheugd de inventaris van haar benen en haar lichaam en haar gezicht opmaakte Ze was negenendertig, maar zijn blik gaf haar het gevoel dat ze veel jonger was.

'Is dat uw dochter?' gaf ze commentaar op de foto.

Hij keek gegeneerd. 'Nee, dat is mijn vrouw.'

En zij kon niet 'Neem me niet kwalijk' of zoiets zeggen zonder het erger te maken. 'O,' zei ze. 'Ze is beeldschoon.' Toen mompelde ze dat ze maar eens weg moest en ging staan.

'U zult denk ik merken dat het woord "natuurlijke" hier de boosdoener is,' zei hij, terwijl hij met haar meeliep naar de deur. 'Als u dat kunt omzeilen geloof ik niet dat er een probleem zal zijn.'

Ze zei dat ze haar best zou doen en terwijl de lift haar naar beneden, het echte bestaan, terugbracht herzag ze haar fantasieën: hij woonde niet in Connecticut; hij woonde in een penthouse in East Side waar dat beeldschone meisje de hele dag mokte en zich in spiegels mooi maakte, en wachtte tot hij thuiskwam.

'Juffrouw Grimes?' vroeg hij nog maar paar dagen later aan de telefoon. 'Met Howard Dunninger. Ik vroeg me af of u met me zou willen lunchen.'

Bijna het eerste dat hij haar vertelde – terwijl ze aan een glas wijn nipten in wat Emily bij zichzelf als een 'fantastisch' Frans restaurant beschreef – was dat hij eigenlijk helemaal niet getrouwd was: zijn vrouw en hij waren drie maanden geleden uit elkaar gegaan.

'Nou ja, "uit elkaar gegaan" is een eufemisme,' zei hij. 'Het komt erop neer dat ze bij me weg is. Niet voor een ander, gewoon omdat ze genoeg van me had... ik denk dat ze al een tijdje genoeg van me had... en ze wilde zien hoe het is om vrij te zijn. O, het zal best begrijpelijk zijn. Ik ben vijftig; zij is achtentwintig. Toen we gingen samenwonen was ik tweeënveertig en zij twintig.'

'Is het niet een beetje romantisch om haar foto op je bureau te laten staan?'

'Pure lafheid,' zei hij. 'Hij staat daar al zo lang dat de mensen op kantoor het misschien een raar gezicht zouden vinden als ik hem wegborg, dacht ik.'

'Waar is ze nu?'

'In Californië. Ze wilde een zo groot mogelijke afstand tussen ons, begrijp je wel.'

'Heb je kinderen?'

'Alleen uit mijn eerste huwelijk; dat was lang geleden. Twee jongens. Ze zijn nu volwassen.'

Terwijl ze op stokbrood en salade kauwde en vluchtig om zich heen naar de goedgeklede, mondain uitziende mensen aan andere tafeltjes keek, drong het tot Emily door dat het geen probleem zou opleveren om nu, vanmiddag, met Howard Dunninger naar bed te gaan. Hannah zou er geen bezwaar tegen hebben als ze vanmiddag niet op kantoor kwam, en de algemeen juridisch adviseur van National Carbon kon ongetwijfeld zijn eigen tijd indelen. Ze hadden inmiddels allebei de tijd van onbelangrijke verantwoordelijkheden achter zich.

'Hoe laat wil je weer op kantoor zijn, Emily?' vroeg hij terwijl de kelner een glanzend schoon cognacglaasje naast haar koffie zette.

'O, hindert niet; geen speciale tijd.'

'Mooi zo.' Zijn smalle lippen krulden zich in verlegenheid. 'Ik heb zo verdomd veel gepraat dat ik er nauwelijks aan toe gekomen ben je te leren kennen. Vertel me over jezelf.'

'Ach, er valt eigenlijk niet zo veel te vertellen.'

Maar dat was er wel: haar autobiografie, hier en daar geredigeerd en aangedikt voor dramatisch effect, leek niet tot een afronding te kunnen komen. Ze praatte nog steeds toen hij haar over het verblindend zonnige trottoir naar buiten, een taxi in loodste en ook nog toen de taxi hen bij zijn flatgebouw afzette. In de lift hield ze eindelijk op met praten – niet omdat ze uitgesproken was maar omdat het belangrijk leek hier stil te zijn.

Het was geen penthouse, en het was lang niet zo chic als ze zich had voorgesteld. Het was blauw met bruin en wit en rook naar leer; het was bijna gewoon, en de grond leek gevaarlijk te hellen toen hij aan de inleidende hoffelijkheden begon: '...Kan ik iets voor je inschenken? Kom hier zitten...' Hij zat nog niet vlak naast haar op de bank of ze konden niet van elkaar afblijven en de geluiden van de stad negentien woonlagen onder hen werden overweldigd door de machtiger geluiden van hun ademhaling; toen hij haar de slaapkamer in hielp was dat als een langverwachte en welverdiende overgang naar licht en lucht.

Howard Dunninger vulde haar leven. Hij was even aantrekkelijk als Jack Flanders, zonder iets van Jacks afschuwelijke afhankelijkheid; hij leek even weinig aanspraken op haar te maken als Michael Hogan, en als ze vergelijkingen zocht voor wat hij haar, elke nacht weer, in bed liet voelen moest ze helemaal terug naar Lars Ericson.

Na de eerste paar weken gebruikten ze niet langer zijn appartement – hij zei dat hij niet voortdurend aan zijn vrouw herinnerd wilde worden – en gingen ze het hare gebruiken. Zo kon ze 's ochtends gemakkelijker op tijd op haar werk zijn, en er was nog een ander, subtieler voordeel: als ze bij hem logeerde leek de affaire iets voorlopigs, iets tijdelijks te hebben; als hij naar haar toe kwam, impliceerde dat een grotere betrokkenheid. Of, was dat eigenlijk wel zo? Hoe meer ze erover nadacht, des te meer ze besefte dat je die redenering gemakkelijk kon omdraaien: als hij op bezoek was kon hij altijd opstaan en weggaan.

Hoe dan ook, haar appartement werd hun huis. Hij was aanvankelijk huiverig om zijn spullen bij haar te brengen, maar het duurde niet lang of een van haar bureauladen zat stampvol met zijn gewassen en gestreken overhemden en in de kast hingen drie donkere pakken en een fleurige tros dassen. Ze mocht haar hand graag van boven naar beneden langs die dassen laten gaan, alsof het een dik zijden koord was.

Howard bezat een Buick met open dak, die hij in een garage bij Central Park had staan, en met goed weer maakten ze ritjes naar het platteland. Een zo'n keer, toen ze op een vrijdagmiddag eigenlijk op weg naar Vermont waren, reden ze door naar de stad Quebec, waar ze zich in het Château Frontenac inschreven alsof het een motel was; en die zondagavond dronken ze, tijdens de lange weg naar huis, Franse champagne uit piepschuim bekertjes.

Soms gingen ze naar het theater en naar cafeetjes waarover ze vroeger alleen gelezen had, maar de meeste avonden bleven ze thuis, rustig en vriendelijk tegen elkaar als mensen die al jaren vreedzaam getrouwd zijn. Zoals ze vaak tegen hem zei – en ze wist dat het misschien verstandiger was geweest hem dat maar hele-maal niet te vertellen – had ze zich nog nooit met iemand zo ge-amuseerd.

De moeilijkheid was dat hij nog steeds verliefd was op zijn vrouw.

'Zie je!' zei hij op een keer, toen ze niet eens geweten had dat hij naar haar keek. 'Wat je nu net deed... zoals je met je ene hand je haar tegenhield en bukte om op de salontafel dat glas te pakken... dat had Linda kunnen zijn.'

'Ik begrijp niet hoe ik je met enige mogelijkheid aan haar kan herinneren,' zei ze. 'Zij is per slot van rekening een meisje en ik ben zo goed als veertig.'

'Weet ik; en jullie lijken eigenlijk helemaal niet op elkaar, behal-ve dat zij ook kleine borsten heeft en dat jullie ongeveer eendere benen hebben, maar zo nu en dan, iets in je manier van doen... het is bijna griezelig.'

Een andere keer, toen hij in een slecht humeur thuis was geko-men en bij het eten nogal veel wijn gedronken had, bleef hij een hele tijd zwijgend met zijn glas whisky met water in zijn handen zitten, toen begon hij te praten op een manier waardoor je zou denken dat hij nooit meer zou ophouden.

'...Wat Linda aangaat moet je wel begrijpen,' zei hij. 'Ze was niet alleen mijn vrouw; ze was alles wat ik ooit in een vrouw ver-langd had. Ze was... hoe kan ik dat uitleggen?'

'Je hoeft het niet uit te leggen.'

'Jawel. Ik moet het zelf in gedachten op een rijtje zetten, anders zal ik haar nooit kunnen vergeten. Moet je horen. Ik zal je vertel-len hoe ik haar heb leren kennen. Probeer het te begrijpen, Emily. Ik was tweeënveertig maar ik voelde me ouder. Ik was getrouwd geweest en gescheiden, ik had ik weet niet hoe veel meisjes gehad, leek het; ik had, denk ik, het gevoel vrijwel aan het eind van mijn mogelijkheden te zijn. Ik was een paar weken in East Hampton en iemand vroeg me mee naar een feestje. Een verlicht zwembad, papieren lantaarns in de bomen, platen van Sinatra die vanuit het huis naar buiten klonken... dat werk. Een gemengd gezelschap: een hoop acteurs die tv-spotjes deden, een stel illustrators van kin-derboeken, een stel schrijvers, een paar zo'n soort zakenjongens die een poging deden er in hun bordeauxrode shorts artistiek uit te zien. En jezus christus, Emily, ik draaide me om en daar lag dit schepsel op die witte ligstoel. Ik had nog nooit zo'n huid gezien, of zulke ogen, of zulke lippen. Ze droeg...'

'Ga je me nu echt vertellen wat ze dróég?'

'...droeg een eenvoudige, korte zwarte jurk en ik dronk me met een grote slok moed in en ik ging naar haar toe en zei 'Hi. Ben jij iemands vrouw?' En ze keek naar me op...ze was te verlegen of ik denk te terughoudend om te glimlachen... en ze...'

'Howard, dit is heel onverstandig,' zei Emily. 'Je zit je alleen maar op te winden. Je bent echt zo ontzettend romantisch.'

'Goed, ik zal het zo kort houden als ik maar kan. Ik wil je niet vervelen.'

'Je "verveelt" me niet; het punt is alleen dat je...'

'Goed dan. Het punt is, de nacht erna lag ze al in mijn bed en elke nacht daarna ook; toen we teruggingen naar New York verhuisde ze al haar spullen naar mijn appartement. Ze studeerde nog... ze zat op Barnard, net als jij... en elke dag haastte ze zich na afloop van de colleges naar mijn appartement om er te zijn als ik thuiskwam. Ik kan je niet vertellen hoe heerlijk dat was. Als ik naar huis ging wapende ik me en dacht Nee, het is te mooi om waar te zijn; ze is er vast niet... en ze was er altijd. Ik kijk op die tijd, die eerste anderhalf jaar, terug als op de godverdomde gelukkigste tijd van mijn leven.'

Hij liep nu met zijn glas in zijn hand door de kamer en Emily wist wel beter dan hem in de rede te vallen.

'Toen trouwden we, en ik geloof dat dat de spanning er een beetje af haalde... voor haar, denk ik, meer dan voor mij. Ik was nog steeds... nou ja, ik vind het afschuwelijk om voortdurend "gelukkig" te zeggen, maar dat is er het enige woord voor. Trots, ook; enorm trots. Ik nam haar overal mee naartoe, de mensen feliciteerden me, en ik weet nog dat ik zei "Ik geloof haar niet; ik geloof hier allemaal nog niets van". Toen, na een tijdje, begon ik haar natuurlijk toch te geloven; ik begon haar als vanzelfsprekend te beschouwen zoals niemand een ander ooit als vanzelfsprekend mag beschouwen. Ze zei de eerste jaren altijd dat ik haar nooit verveelde, en ik beschouwde dat als een reusachtig compliment, maar ik kan me niet herinneren dat ze dat tegen het eind ooit nog gezegd heeft. Ik was haar waarschijnlijk gaan vervelen als de hel, met mijn ijdelheid en mijn aanstellerij en mijn... ik weet het niet. Mijn zelfmedelijden. En ik denk dat ze toen rusteloos begon te worden, ongeveer in diezelfde tijd dat ik haar begon te vervelen. Godverdomme, Emily, hoe kan ik je laten begrijpen hoe aardig ze was? Het is zoiets dat je niet beschrijven kunt. Teder, liefhebbend, en tegelijk toch ook een harde. Ik bedoel "harde" niet in een ongunstige betekenis, ik bedoel veerkrachtig, moedig; ze bekeek de wereld op een volstrekt onsentimentele manier. Intelligent! Jezus, het was soms bijna beangstigend hoe ze intuïtief recht op de kern van een onvatbare, gecompliceerde kwestie afging. Ze was ook grappig... o, ze zat heus niet overal hilarische moppen te tappen, ze had gewoon een heel scherp oog voor de absurditeit achter alles wat pretentie had. Ze was een geweldige kameraad. Waarom zeg ik toch steeds "was"? Het is net alsof ze dood is. Ze was een geweldige kameraad voor me en nu is ze een geweldige kameraad voor een ander... of anderen. Ze zal best flink wat mannen uitproberen voor ze zich weer bindt.'

Hij liet zich zwaar in een stoel zakken, deed zijn ogen dicht en begon met duim en wijsvinger de smalle brug van zijn neus te masseren. 'En als ik nu soms in die bepaalde context aan haar denk,' zei hij met vlakke, bijna toonloze stem, 'als ik me haar daar voorstel met een andere man, terwijl ze haar benen... haar benen voor hem spreidt en...'

'Howard, ik vind dit niet goed,' zei Emily, en ze ging staan om haar woorden kracht bij te zetten. 'Het is melodramatisch. Je gedraagt je als een smoorverliefd jongetje en dat past je helemaal niet. Bovendien is het niet erg...' Ze wist niet zo zeker of ze deze zin moest afmaken, maar ze deed het toch '...niet erg attent tegenover mij.'

Daarvan gingen zijn ogen open, maar hij deed ze weer dicht. 'Ik dacht dat jij en ik vriendjes waren,' zei hij. 'Ik dacht dat het idee is, dat je met een vriend vrijuit moet kunnen praten.'

'Is het niet bij je opgekomen dat ik misschien een beetje jaloers ben?'

'Mm,' zei hij. 'Nee, dat was eerlijk gezegd niet bij me opgekomen. Ik kan er niet bij. Hoe kun je jaloers zijn op iets in het verleden?'

'Toe nou, Howard. Alsjeblieft. Hoe zou jij het vinden als ik hele avonden bleef doorzagen over alle o zo schitterende eigenschappen van allerlei mannen die ik gekend heb?' Maar die vraag beantwoordde zichzelf: ze kon Howard Dunninger alles over wie van haar mannen dan ook vertellen, of over hen allemaal, en het zou hem koud laten.

In december van dat jaar werd hij door National Carbon twee weken in Californië gestationeerd.

'En ik neem aan dat je daar Linda zult ontmoeten?' vroeg ze toen hij zich klaarmaakte voor vertrek.

'Ik zou niet weten hoe,' zei hij. 'Ik zit in Los Angeles; zij zit een heel stuk ten noorden van San Francisco. Het is een grote staat. Daar komt bij dat ik...'

'Daar komt bij dat je wat?'

'Daar komt bij dat ik niks. Ik kan die godverdomde koffer maar niet dicht krijgen.'

Het waren twee nare weken – hij belde haar maar twee keer op, tegen het einde – maar ze overleefde het; en hij kwam werkelijk naar huis.

Toen, in februari, belde 's avonds laat, toen ze op het punt stonden om naar bed te gaan, Sarah.

'Emmy? Ben je alleen?'

'Eh, nee, eigenlijk...'

'Nee, dus. Ik begrijp het. Ik hoopte dat je alleen zou zijn.' Het ritme en de klankstructuur van Sarahs stem riepen op een scherpe, zintuiglijke manier het afschuwelijke oude huis in St. Charles op – de schimmel, de kilte, de voorouders die van de muren omlaag staarden, de stank van vuilnis in de keuken.

'Wat is er, Sarah?'

'Laten we het zo stellen. Om John Steinbeck te citeren: dit is de winter van ons ongenoegen.'

'Ik geloof niet dat dat oorspronkelijk van Steinbeck was, schatje,' zei Emily. 'Is Tony de laatste tijd...?'

'Zo is het. En ik heb een besluit genomen, Emmy. Ik blijf hier niet meer. Ik wil bij jou komen wonen.'

'Eh, Sarah, het punt is... ik ben bang dat dat niet mogelijk is.' Ze wierp een blik op Howard, die in zijn badjas, ongeveer een meter bij haar vandaan, met zichtbare belangstelling stond te luisteren. Ze had hem over haar zus verteld. 'Het punt is, ik woon tegenwoordig niet alleen.'

'O, je bedoelt dat je een... ik begrijp het. Nou ja, dat maakt het er niet eenvoudiger op, maar dat kan me niet schelen. Ik ga hoe dan ook weg. Ik ga wel in een goedkoop hotel of zoiets. Maar moet je horen: denk je dat je me zou kunnen helpen om een baan te zoeken? Ik kan heus ook wel advertentiekopij schrijven. Ik heb de dingen altijd... je weet wel... mooi kunnen zeggen.'

'Er zit wel wat meer aan vast,' zei Emily. 'Het duurt toch gauw een jaar of wat voor je een baan als de mijne hebt. Ik denk echt dat je beter uit zou zijn als je ander soort werk zocht.'

'Wat voor?'

'Nou ja, misschien als receptioniste of zoiets.' Het bleef even stil. 'Hoor eens, Sarah, weet je absoluut zeker dat je dit wilt?' Emily hield met twee handen de hoorn vast en beet op haar lip terwijl ze probeerde haar eigen motieven te doorgronden. Nog niet zo lang geleden had ze er bij haar zus op aangedrongen van huis weg te lopen; nu drong ze erop aan te blijven.

'Ik weet het niet, Emmy,' zei Sarah. 'Ik weet denk ik niets echt zeker. Alles is zo... zo verward.'

'Is Tony daar?' vroeg Emily. 'Kan ik hem even spreken?' En toen Tony met een dronken klinkend gegrom aan de lijn kwam voelde ze een verrukkelijke, snelle terugkeer van de stimulerende vrolijkheid die ze die avond in de hotelkamer had gevoeld. 'Moet je horen, Wilson,' begon ze. 'Ik wil dat je mijn zus met rust laat, is dat duidelijk?' Naarmate haar stem zich verhief en afvlakte begreep ze waarom ze dit deed: ze sloofde zich uit voor Howard. Dit zou bewijzen dat ze niet altijd teder en liefhebbend was; ze kon een harde zijn, veerkrachtig, moedig; ze bekeek de wereld op een volstrekt onsentimentele manier. '...Ik wil dat je je godverdomde grote poten bij je houdt,' zei ze, 'en als ik een man was kwam ik vanavond naar je toe en zou je wensen dat je nooit handen had gehád. Begrepen? Geef me Sarah weer.'

Er klonken gedempt schrapende geluiden, alsof er zwaar meubilair verzet moest worden voor Sarah weer aan de telefoon kon komen. Toen ze aan de lijn kwam, was meteen duidelijk dat ze van gedachten veranderd was.

'Sorry dat ik je met dit alles lastig val, Emmy,' zei ze. 'Ik had natuurlijk helemaal niet moeten bellen. Het komt wel goed met me.'

'Nee, hoor nou,' zei Emily, met een gevoel van enorme opluchting. 'Bel me wanneer je wilt. Aarzel niet me te bellen wanneer je maar wilt en intussen houd ik de kleine annonces PERSONEEL GEVRAAGD in de *Times* in de gaten, oké? Het lijkt me alleen niet erg verstandig om nu meteen te komen, dat is alles.'

'Nee; dat lijkt me ook niet. Oké, Emmy. Bedankt.'

Toen de hoorn weer op de haak lag, gaf Howard haar een whisky en zei 'Wat afschuwelijk. Dat moet allemaal erg moeilijk voor je zijn.'

'Het punt is dat ik zo helemaal niets dóén kan,' zei ze. Ze wilde dat hij haar in zijn armen zou nemen zodat ze tegen zijn schouder kon uithuilen, maar hij maakte geen gebaar in die richting.

'Nou ja,' zei hij, 'je zou haar natuurlijk een tijdje dit appartement kunnen afstaan; dan zouden wij in het mijne kunnen wonen.'

'Weet ik; dat kwam niet bij me op; maar het punt is, het appartement is nog maar het begin. Je hebt geen idee hoe hulpeloos ze is... een raar klein vrouwtje van middelbare leeftijd met afschuwelijke kleren en slechte tanden en niets dat ze kán... zelfs typen kan ze maar met twee vingers.'

'O, nou ja, ik neem aan dat er toch wel íéts is dat ze zou kunnen doen. Ik zou haar misschien zelfs aan iets bij National Carbon kunnen helpen.'

'En dan zou ze eeuwig om onze nek hangen,' zei Emily met grotere bitterheid dan ze bedoeld had. 'We zouden geen minuut van haar bevrijd zijn als ze hier was. Ik wil haar niet hier, Howard, ik weet dat dit misschien afschuwelijk klinkt, maar ik wil niet dat ze mijn leven omlaaghaalt. Als je dat niet kunt begrijpen zal het wel... te ingewikkeld zijn om uit te leggen.'

'Oké,' zei hij glimlachend en fronsend tegelijk. 'Oké. Wind je nou maar niet op.'

Er gingen een paar weken voorbij voor er weer gebeld werd, 's avonds rond dezelfde tijd, maar deze keer belde Tony. Hij klonk weer dronken en ze kon hem bijna niet verstaan vanwege nog meer gemompel van mannenstemmen op de achtergrond, zoals een tel later tot haar doordrong, het geluid van de televisie die te hard stond.

'...Je zus ligt in het ziekenhuis,' zei Tony's stem in een poging tot net zo'n neutrale toon als van een barse politieagent die de naaste familie van het slachtoffer inlicht.

'Het ziekenhuis? Welk ziekenhuis?'

'Central Islip,' zei de stem; en toen 'Waar ze thuishoort', en daarna was de stilte alleen gevuld met de onduidelijke bas- en mompelstemmen van de televisie.

'Mijn God,' zei Emily terwijl ze de hoorn op de haak legde. 'Howard, ze ligt in het Central Islip.'

'Wat is dat?'

'Dat is waar mijn moeder ligt. De staatsverpleeginrichting. Het gekkenhuis.'

'Hoor eens even, Emily,' zei Howard voorzichtig. 'Daar kan haar man haar niet zomaar in gestopt hebben. Als ze daar werd opgenomen kan dat alleen omdat een dokter besloten heeft haar daar ter behandeling naartoe te sturen. Dit is niet de negentiende eeuw; niemand noemt zoiets nog een "gekkenhuis". Het is een modern psychiatrisch ziekenhuis en...'

'Daar weet jij niets van, Howard. Ik wel. Ik ben daar bij mijn moeder op bezoek geweest. Het bestaat uit twintig of misschien vijftig enorme bakstenen gebouwen; als je er bent kun je nog steeds niet bevatten hoe groot het is omdat er zo veel bomen staan. Je loopt over die paden en je denkt Het valt best mee, en dan doemen van achter de bomen nog twee gebouwen voor je op, en nog twee, en nog twee. En er zitten tralies voor de ramen en soms hoor je daar binnen iemand gillen.'

'Maak er geen melodrama van, Emily,' zei Howard. 'Om te beginnen bel je nu het ziekenhuis om erachter te komen waarvoor ze is opgenomen.'

'Het is elf uur 's avonds. Bovendien zeggen ze dat toch niet... een onbekende stem aan de telefoon. Ze hebben vast regels voor dat soort dingen. Daar moet je dokter voor zijn, om...'

'Of misschien ook advocaat,' zei hij. 'Soms is het best handig om advocaat te zijn. 'Ik zal morgen uitzoeken wat de diagnose is en dan vertel ik het je morgenavond. Oké? Ga nu mee naar bed en hou op met toneelspelen.'

Toen hij de volgende avond thuiskwam zei hij: '"Acute alcohol-intoxicatie."' Even later zei hij 'Kom op, Emily, zo erg is dat niet. Ze hoeft alleen af te kicken en dan mag ze weg. Het is geen "para-noïde schizofrenie" of zoiets.'

Dat was op een maandag. Het was zaterdag voor Emily de tijd vond om met twee sloffen sigaretten bij zich (een voor haar zusje en een voor haar moeder) de trein naar Central Islip te nemen; op het perron knikte ze naar een van de sjofel uitziende taxichauffeurs die haar schreeuwend omringden – één dollar per rit naar het zie-kenhuis en dan weer terug leek hun geen windeieren te leggen – en even later was ze in die verbijsterende doolhof van bomen en ge-bouwen.

Sarahs gebouw was een van de oudere – het had iets over zich van rond de eeuwwisseling – en Emily trof haar op een zwaar af-geschermde bovenveranda, waar ze in gesprek verzonken was met een vrouw van ongeveer haar eigen leeftijd. Ze droegen allebei een ochtendjas met een patroontje en katoenen sloffen en Sarahs hele schedel was in iets wits gewikkeld dat op het eerste gezicht een tul-band leek – van het model dat begin jaren veertig modieus geweest was – maar dat verbandgaas bleek te zijn.

'Emmy!' riep ze uit. 'Mary Ann, dit is mijn briljante zusje... over wie ik je net vertelde. Emmy, dit is mijn allerbeste vriendin, Mary Ann Polchek.'

En Emily glimlachte tegen een bleek, bang gezichtje.

'Laten we daar gaan zitten, waar we kunnen praten,' zei Sa-rah, langzaam lopend terwijl ze Emily voorging naar een paar lege stoelen in de namiddagschaduw. 'Goh, wat aardig van je om hele-maal hierheen te komen. O, en je hebt nog sigaretten meegebracht ook; lief van je, hoor.'

'Bedoel je dat die vrouw je beste vriendin uit St. Charles is?' vroeg Emily toen ze zaten. 'Of alleen van hier?'

'Alleen van hier. Ze is een bewonderenswaardig iemand. Je had niet dat hele eind hier naartoe moeten komen, lieverd; ik ben hier in een paar weken weer weg.'

'O ja?'

'Nou ja, op z'n hoogst drie weken, zegt mijn dokter. Ik moest alleen een beetje uitrusten. Als ik er maar voor de eerste van de maand uit ben, als Tony junior thuiskomt, dat is eigenlijk wat mij betreft het enige. Had ik je verteld dat hij nu definitief op medische gronden uit militaire dienst ontslagen is?' Tony junior was bij een auto-ongeluk met een jeep gewond geraakt aan zijn heup, zodat hij niet naar Vietnam hoefde; het andere nieuwtje was dat hij met een meisje uit Californië getrouwd was. 'Ik trappel van ongeduld om hem te zien,' zei Sarah. 'Hij heeft besloten met zijn gezin in St. Charles te komen wonen.'

'Zijn gezin?'

'Nou ja, het meisje met wie hij getrouwd is heeft twee kinderen, begrijp je wel.'

'O. En wat gaat hij doen?'

'Weer voor die garage werken, denk ik. Ze zijn daar dol op hem.'

'Juist ja. Maar hoor eens, Sarah, vertel over jezelf. Hoe voel je je?'

'Prima.' Sarahs glimlach leek vastberaden te willen bewijzen dat er niets aan de hand was en het viel Emily op dat haar tanden wit waren: ze had ze zeker laten vullen en schoonmaken.

Een belangrijke vraag moest ondanks de glimlach worden gesteld, en Emily stelde hem. 'Hoe kom je aan die hoofdwond?'

'O, dat was gewoon stom,' zei Sarah. 'Volledig mijn eigen schuld. Ik was een keer midden in de nacht opgestaan omdat ik niet kon slapen en toen ben ik beneden een glas melk gaan halen. En op de terugweg was ik al bíjna boven aan de trap toen ik uitgleed en helemaal naar beneden viel. Stom hè?'

En Emily voelde haar mond breder worden in wat misschien zou kunnen doorgaan, dacht ze, voor een instemmende glimlach over de stommiteit van dit alles. 'Was het een ernstige wond?'

'Nee, nee, het was niets.' Sarah wees vaag met één hand naar het verband. 'Het is niets.'

Het was niet niets; ze hadden kennelijk haar hoofd moeten kaalscheren voor het verband erom ging – zo strak zat het eromheen – en Emily vroeg bijna Hebben ze je hoofd kaalgeschoren? maar bedacht zich. 'Hoe dan ook,' zei ze dus maar. 'Ik vind het fijn dat je er zo goed uitziet.'

Ze bleven een tijdje alleen maar zitten roken, en glimlachten als hun blikken elkaar kruisten om te laten zien dat alles in orde was. Sarah wist niet dat Emily van de diagnose 'acute alcoholintoxicatie' afwist; Emily vroeg zich af of er een tactvolle manier was om het ter sprake te brengen, en besloot dat die er niet was. Terwijl ze daar zo zaten, werd duidelijk dat Sarah van nu af aan haar problemen voor zich zou houden. Er zouden van nu af aan geen vertrouwelijke mededelingen meer zijn, geen telefoongesprekken en geen verzoeken om hulp.

'Denk je... denk je dat alles oké zal zijn als je thuiskomt?' vroeg Emily.

'Hoe bedoel je?'

'Denk je dat je nog steeds naar New York zou willen komen?'

'O nee.' Sarah keek gegeneerd. 'Dat was dwaas van me. Sorry dat ik je die avond heb opgebeld. Ik was gewoon... je weet wel... moe en in de war. Zo gaat dat soms. Ik moest gewoon eens goed uitrusten, dat is alles.'

'Want ik heb echt steeds de kleine annonces PERSONEEL GEVRAAGD doorgekeken,' zei Emily, 'en een vriend van me denkt dat je misschien iets zou kunnen vinden bij National Carbon. En er is geen reden waarom je niet een tijdje in mijn flat zou kunnen wonen, tot je je draai gevonden hebt.'

Sarah schudde haar hoofd. 'Nee, Emmy. Dat is allemaal verleden tijd. Laten we het nu maar vergeten, oké?'

'Oké. Maar ik vond dat... nou ja, oké.'

'Ga je nog bij Pookie op bezoek nu je hier bent?'

'Dat was ik wel van plan. Weet je hoe ik bij haar gebouw kom?' En Emily besefte meteen wat een domme vraag dat was. Hoe kon Sarah weten waar een ander gebouw was als ze in dit opgesloten zat? 'Het maakt niet uit,' zei ze snel. 'Ik vind het wel.'

'Tja,' zei Sarah, en ze kwam langzaam overeind. 'Dan kun je maar beter gaan, denk ik. Enorm bedankt dat je gekomen bent, lieverd; het was heerlijk om je te zien. Doe de groeten aan Pookie.'

Weer buiten onder de bomen, had Emily al een heel stuk gelopen toen ze ineens bedacht dat ze niet meer wist of de portier nu drie gebouwen verderop en vier naar rechts had gezegd, of vier gebouwen verderop en drie naar rechts, en er was verder niemand aan wie ze het vragen kon. Op een bord bij een kruising stond E-4 tot E-9, waar ze niets aan had, en op een ander bord eronder stond LIJKENHUIS. In de verte verrezen twee identieke rookkolommen tegen de grijze lucht. Het was waarschijnlijk alleen maar de elektriciteitscentrale – dat wist ze best – maar ze vroeg zich toch af of het misschien een crematorium was.

'Pardon,' zei ze tegen een oude man die op een bank zat. 'Kunt u me zeggen waar...'

'Val me niet lastig, mevrouw,' zei hij en vervolgens legde hij zijn duim tegen een neusgat, boog hij zich voorover en blies een felgekleurde stroom snot uit het andere. 'Val me niet lastig.'

Ze bleef lopen en probeerde niet aan de oude man te denken, tot een taxi bij de stoeprand vaart minderde en de chauffeur zijn hoofd naar buiten stak en 'Taxi?' vroeg.

'Ja,' zei ze. 'Graag.'

En het maakte ook eigenlijk niet uit, hield ze zich voor terwijl de taxi wegreed naar het station. Die ouwe Pookie zou daar toch maar zwijgend en met een gezicht vol hopeloze humeurigheid liggen; ze zou haar hand uitsteken om de sigaretten in ontvangst te nemen maar ze zou niet glimlachen, waarschijnlijk taal noch teken geven dat ze wist wie Emily was.

Weer in de stad wachtte ze ruim drie weken voor ze St. Charles belde om te horen of Sarah thuis was. Ze belde vanaf kantoor, laat op een doordeweekse ochtend zodat Tony er niet zou zijn.

'...Hi, Emmy... Ja, hoor, ik ben al dagen thuis... Hoe gaat het met wíé?'

'Ik zei hoe gaat het ermee?'

'Prima. Tony junior is hier, met zijn vrouw en haar kinderen, dus is het hier een soort gekkenhuis. Ze is erg aardig en erg zwanger. Ze blijven hier een tijdje logeren en we helpen ze om een eigen huis te zoeken.'

'Juist ja. Nou ja, houd contact, Sarah. Laat me weten als er iets is dat ik eh... je weet wel... dat ik doen kan.'

En Sarah hield contact, hoewel niet per telefoon. Enige tijd later stuurde ze Emily een brief. De envelop was geadresseerd in het oude vertrouwde sierlijke debutantenhandschrift, maar de brief zelf was getypt, met flink wat verbeteringen in ballpoint.

Lieve Emmy,

Ik schrijf je in plaats van te bellen want ik wil de schrijfmachine uitproberen die Peter me voor mijn verjaardag gegeven heeft. Het is een draagbare Underwood, tweedehands, en hij heeft hier en daar wat mankementen, maar je kunt ermee typen! Met een beetje schoonmaken en bijstellen kan ik er binnen de kortste keren prima mee overweg.

Het is een jongen! Acht pond zeven ons. En hij lijkt precies op zijn grootvader, mijn man. (Mijn man wordt hier erg boos om want het geeft hem een beetje een grootvadergevoel en dat vindt hij maar niets.) Ik ben net klaar met het maken van een mandwieg. Dat doe ik nooit weer! Ik ben begonnen met een grote wasmand, schuimrubber, zachte plastic onderleggers, bekledingsstof, stoffeernagels en oneindige meters blauw lint. Het was een prachtig begin en kwam een week later dan toch tot voleinding. Ik reed er triomfantelijk, maar uitgeput, mee naar het huis van Tony junior, maar er was niemand thuis. Het vermaledijde ding liet zich twee dagen in mijn stationcar rondrijden voor het ten slotte definitief onderdak vond.

Ik kom deze week om in de bramen. Op onze weidegrond staan ruim duizend vierkante meter reuzenbramen die er gewoon om schreeuwen te worden geplukt. Ik heb tot nu toe meer dan vijftien liter geplukt, gewassen, tot siroop gemaakt en ingevroren en twintig potten jam gemaakt, en ik kan ze nog steeds niet voor blijven. Zelf lust ik helemaal geen bramen. Ik doe dit met in gedachten de man die toen ze hem vroegen waarom hij de Mount Everest wilde beklimmen, antwoordde: 'Omdat hij er is.'

Ik ben om twee zeer gegronde redenen niet bij Pookie op bezoek geweest. Ten eerste rijd ik alleen hier in de buurt auto, of dan toch tot ik een beetje meer zelfvertrouwen en een beetje meer haar heb. En ten tweede omdat ik bijna nooit de auto kan gebruiken. Tony rijdt met zijn Thunderbird naar Magnum, Eric rijdt met zíjn Thunderbird naar de motorengarage waar hij werkt, en Peter rijdt met mijn stationcar naar zijn vakantiebaan in Setauket.

Moet nu afscheid nemen en weer met gezwinde pas terug naar het bramenveldje. Pas goed op jezelf.

Met liefs,
Sarah

'Wat maak jij eruit op?' vroeg Emily toen Howard de brief gelezen had.

'Hoe bedoel je, "eruit opmaken"? Gewoon een opgewekt briefje, dat is alles.'

'Maar dat is het punt, Howard... het is te opgewekt. Afgezien van die verwijzing naar haar haar dat nog moet groeien, zou je denken dat ze het gelukkigste, tevredenste huisvrouwtje op de wereld is.'

'Misschien ziet ze zichzelf graag zo.'

'Ja, maar ik weet nu eenmaal beter... en zij weet dat ik beter weet.'

'Alsjeblieft, zeg,' zei Howard, en hij kwam overeind uit zijn stoel en liep ongeduldig door de kamer. 'Wat wíl je eigenlijk van haar? Wil je dat ze om de vijf minuten haar hart bij je uitstort? Vertelt hoe vaak hij haar deze maand geslagen heeft? En als ze dat echt doet, zeg jij dat je niet wilt dat ze "je leven omlaaghaalt". Je bent een rare, Emily.'

En diezelfde avond veel later, toen ze ontdaan van hartstocht in haar bed lagen, raakte ze aarzelend zijn arm aan en vroeg 'Howard?'

'Mm?'

'Als ik je iets vraag, beloof je me dan de waarheid te vertellen?'

'Mm.'

'Vind je me echt een rare?'

De zomer van 1967 brachten ze hun vakantie in Howards vroegere huis in East Hampton door, waar hij sinds het laatste jaar van zijn huwelijk niet meer geweest was. Ze hield van het heldere licht en de ruimte en de zanderige, grasachtige geur van het huis – het was na de stad of je zuivere zuurstof inademde – en ze hield van de verweerde cederhouten dakspanen, die in de zon bijna zilver glansden. Het woord 'verrukkelijk' kwam steeds weer bij haar op ('We hebben een verrukkelijke tijd gehad,' zei ze bij terugkomst in New York tegen iedereen die het vroeg). Ze hield van de branding en zoals Howard erin waadde en bij elke brekende golf opsprong; ze hield ervan zoals zijn pik verschrompelde en donkerrood en blauw werd van wind en water, zodat alleen haar lippen en tong, zout proevend, hem weer op gewicht konden brengen.

'Howard?' vroeg ze op hun laatste ochtend, het was zondag. 'Ik dacht als ik nou mijn zus eens bel. Dan zouden we misschien zo'n beetje kunnen omrijden en op weg naar huis bij haar langsgaan.'

'Natuurlijk,' zei hij. 'Goed idee.'

'Maar ik bedoel, weet je zeker dat je het niet erg vindt? Het is eigenlijk wel een eind om en we zouden best eens in een afschuwelijke, laag-bij-de-grondse scène terecht kunnen komen.'

'Jezus, Emily, natuurlijk vind ik het niet erg. Ik heb áltijd al met je zus kennis willen maken.'

En dus belde ze op. Een man nam de telefoon op, maar het was niet Tony. 'Ze rust nu,' zei hij. 'Kan ik een boodschap aannemen?'

'Eh, nee, ik wilde alleen... met wie spreek ik? Met Tony junior?'

'Nee, met Peter.'

'O, Péter. Eh, ik wilde alleen... met Emily. Emily Grimes.'

'Tante Emmy!' zei hij. 'Ik dácht al dat het net uw stem was...'

Ze spraken af dat ze die middag tussen twee en drie langs zouden komen. 'Maak je borst maar nat, Howard,' zei ze toen ze eindelijk in St. Charles waren aangekomen. 'Dit wordt absoluut afschuwelijk.'

'Doe niet zo raar,' zei hij.

Ze had gehoopt dat Peter open zou doen – dan zouden er voor ze lachend de woonkamer in liepen een omhelzing en een hoffelijke handdruk volgen ('Prettig kennis te maken') – maar het was Tony. Hij deed de deur maar een decimeter open en stond al klaar om hem weer dicht te smijten, als een man die vastbesloten de onschendbaarheid van zijn huis wil beschermen. Toen hij zag wie het was, knipperde hij met zijn ogen en deed een stap terug terwijl hij de deur verder opendeed, en Emily vroeg zich af hoe ze hem in godsnaam moest begroeten, nadat ze hem een schoft en klootzak had genoemd en gedreigd had hem te vermoorden. 'Dag, Tony,' zei ze. 'Mag ik je voorstellen: Howard Dunninger... Tony Wilson.'

Hij bewoog zijn mond een beetje om te mompelen dat het hem aangenaam was en ging hen voor door de vestibule.

Sarah zat met opgetrokken benen op de bank, zoals Edna Wilson daar vroeger ook gezeten had, en glimlachte vaag. Emily keek al minstens een seconde recht in die glimlach voor ze besefte wat er verkeerd aan was: de onderste helft van Sarahs gezicht was ingevallen.

'Tjee, Emmy,' jammerde ze terwijl ze vergeefs probeerde haar mond met één hand te verbergen, 'Ik ben vergeten mijn gebíth in te doen.'

'Hindert niet,' zei Emily. 'Blijf maar stil zitten.' Maar het was duidelijk dat Sarah daar al de hele dag stil zat; ze had misschien niet eens kunnen opstaan als ze dat gewild had.

'Kom naast me zitten, Emmy,' zei ze toen iedereen aan elkaar was voorgesteld. 'Wat héérlijk om je te zien.' En ze nam Emily's beide handen in een verbazingwekkend sterke greep. Emily vond het een onhandige manier van zitten, zo met haar handen opzij gestoken om die in de schoot van haar zuster te laten samendrukken en liefkozen; er zat niets anders op dan dichter naar haar toe te schuiven tot hun dijen elkaar raakten, maar toen ze dat deed kwam ze in de doordringende, fruitige geurzone van alcohol.

'...Mijn eigen kleine zusje,' zei Sarah terwijl Emily probeerde niet naar haar donkere, breed lachende tandvlees te kijken. 'Beseffen jullie allemaal wel dat dit mijn kleine zusje is?'

Tony zat onaangedaan, in een werkbroek vol verfvlekken en met het voorkomen van een doodvermoeide arbeider in een stoel tegenover de bank. Naast hem glimlachte Howard Dunninger slecht op zijn gemak. Het enige zelfverzekerde lid van de groep was Peter, die tegenwoordig een aantrekkelijke jongeman was. Ook hij droeg werkkleding vol spetters – zijn vader en hij waren voor hun gasten kwamen bezig geweest met het huis schilderen – en Emily vond hem een leuke jongen om te zien. Hij was niet groot en hij was niet echt knap, maar hij bewoog zich elegant en zijn gezicht had iets geestigs en verstandigs.

'Heb je het seminarie al afgelopen, Peter?' vroeg ze.

'Nog een jaar,' zei hij. 'Volgende week begint het weer.'

'Heb je een leuke zomer gehad?'

'Ja, gaat best. Ik heb een tijdje in Afrika gezeten.'

'In Afrika? Echt?'

En hij bleef een minuut of wat aan het woord en behoedde daarmee alle anderen allervriendelijkst voor een poging tot conversatie terwijl hij Afrika beschreef als een slapende reus 'die zich nog maar net begint uit te rekken'. Toen hij dat zei, spreidde hij met gebalde vuisten, in een slaperige uitrekbeweging, allebei zijn goedgevormde armen en tilde ze op, en Emily bedacht ineens dat er vast talloze meisjes waren die in Peter hun ideaal zagen.

'Oh, Emmy,' zei Sarah. 'Mijn briljante kleine zusje... ik ben dol op je.'

'Tja,' zei Emily. 'Dat is fijn.' En meteen drong tot haar door, al was het maar omdat Tony haar onderzoekend aankeek, dat ze het verkeerde gezegd had. 'Ik bedoel,' zette ze het recht, 'je weet wel, ik ben ook dol op jou.'

'Is ze niet fantastisch?' vroeg Sarah aan het hele gezelschap. 'Is mijn kleine zusje niet fantastisch? Wat vind jij, Howie? Is het goed als ik je Howie noem?'

'Ja natuurlijk,' zei Howard vriendelijk. 'Ik vind haar fantastisch.'

Het was nu langer dan een jaar geleden dat Sarahs hoofd kaalgeschoren was, maar haar haar had nog steeds iets stoppeligs en slordigs, en het was dof. De rest van haar, onder het half ingevallen gezicht, was een en al zakking en zwelling: ze leek een stuk ouder dan ze was. Het duurde niet lang of de anderen begonnen tegen elkaar te praten en bemoeiden zich niet meer met de zusjes op de bank, en Emily benutte de gelegenheid om te vragen 'Ik wist niet dat je geen tanden meer had, Sarah. Wanneer is dat gebeurd?'

'O, ik weet niet; een paar jaar geleden,' zei Sarah, op dezelfde gegeneerde, nadrukkelijk achteloze manier als toen ze in Central Islip haar hoofdwond als 'niets' had afgedaan, en het drong te laat tot Emily door dat het niet zo'n erg tactvolle vraag was geweest.

Om het weer goed te maken drukte ze de bleke handen die de hare drukten en zei 'Je ziet er erg goed uit.'

'Peter!' riep Sarah op scherpe toon, en Emily dacht dat ze misschien 'Hou je fatsoen' zou zeggen, maar ze zei 'Vertel dat verhaal eens van die oude negerpriester die je in Afrika ontmoette.'

'Laat nou maar, mam,' zei hij.

'O, alsjeblieft. Toe nou, Peter.'

'Ik vertel het echt liever niet, mam, oké? Het is trouwens helemaal geen "verhaal".'

'Natuurlijk wel,' hield ze vol. 'Toen Peter in Afrika was, ontmoette hij daar een verrukkelijke oude negerpriester en toen...'

'Mam, hou nou eens op,' zei hij, met een glimlach om te laten merken dat hij niet echt boos op haar was, en toen pas drong ze niet meer bij hem aan. Hij tuitte, nog steeds glimlachend, een heel klein beetje zijn lippen alsof hij haar een kus toewierp. Toen wendde hij zich tot Howard en vroeg 'Wat is dat voor juridisch werk dat u doet?'

Even later sloeg met een klap de keukendeur dicht en kwam een lompe, loensende knul in leren spijkerjack en motorlaarzen binnen die eruitzag alsof hij hen allemaal het ergste toewenste; het duurde even voor Emily besefte dat dit Eric, Sarahs derde zoon was. Hij knikte beleefd even met zijn hoofd naar Emily en gaf Howard een hand; toen nam hij zijn vader en broer apart voor een lange gemompelde beraadslaging die over de werking van een auto leek te gaan en toen dat ten einde was sjokte hij weer naar buiten.

Het was een stralende septembermiddag. Bomen bewogen in de wind achter de ramen en gespikkelde schaduwen schoven over de stoffige grond. Niemand kon iets bedenken om over te praten.

'Anthony?' vroeg Sarah stilletjes, alsof ze haar man aan een persoonlijke plicht herinnerde.

'Mm,' antwoordde hij en liep naar de keuken. Toen hij terugkwam droeg hij iets dat eruitzag als een glas sinaasappelsap, maar er was niets feestelijks aan de manier waarop hij het haar bracht: het glas hing aan zijn vingers, vlak bij een dijbeen van zijn jeans, en hij leek het heimelijk in haar wachtende hand te stoppen. Ze nam de eerste slokken zo langzaam en ernstig dat wel duidelijk werd dat er wodka of gin in zat.

'Wil iemand iets... koffie of zo?' vroeg Tony Wilson zijn gasten.

'Nee, dank je,' zei Emily. 'We moesten trouwens maar eens gaan; het is een eind rijden.'

'O nee, je mag nog niet weg,' zei Sarah tegen haar. 'Je bent er nog maar net. Ik laat je niet zomaar gaan.' Toen, naarmate haar borrel ging werken, vrolijkte ze op van een nieuw idee. 'Peter,' vroeg ze. 'Wil je me een plezier doen? Eén klein pleziertje?'

'En dat is?'

Ze zweeg om een theatraal effect te sorteren. 'Pak de gitaar.'

Hij keek diep vernederd. 'Nee nee, mam,' zei hij, en een van zijn handen, die terwijl hij daar zo zat van zijn knie omlaag hing, maakte een klein gebaar van ontkenning om aan te geven dat dit uitgesloten was.

'Alsjeblieft, Peter.'

'Nee.'

Maar Sarah liet zich niet afschepen. 'Je hoeft hem alleen maar,' legde ze uit, 'buiten uit je auto te gaan halen en hem mee naar binnen te nemen en *Where Have All the Flowers Gone* te spelen.'

Ten slotte was het Tony die hen uit de impasse haalde. 'Hij wil niet, lieverd,' zei hij tegen zijn vrouw.

Meteen erna stond Emily glimlachend op om te bewijzen dat ze het gemeend had, toen ze zei dat Howard en zij maar eens moesten gaan.

Sarah, die met een verbijsterde blik op de bank zat, stond niet op om tot ziens te zeggen.

Er kwamen geen brieven meer van Sarah, en geen telefoontjes. Met Kerstmis was de kaart van de Wilsons haastig door Tony en niet in Sarahs uitbundige handschrift ondertekend, en dit was heel even reden tot zorg.

'Vind jij dat ik haar eigenlijk moet opbellen?' vroeg Emily aan Howard.

'Waarom? Alleen vanwege die kerstkaart? Nee, honnepon. Als ze hoe dan ook in de problemen zit belt ze je wel.'

'Oké. Je hebt denk ik wel gelijk.'

En toen op een avond laat in mei 1968 – drie maanden, rekende Emily later uit, voor Sarahs zevenenveertigste verjaardag – kwam

Emily bij het rinkelen van de telefoon strompelend uit bed.

'Tante Emily?'

'Peter?'

'Nee, met Tony... Tony junior... ik ben bang dat uw zuster vandaag is overleden.'

En het eerste dat bij haar opkwam, nog voor het bericht tot haar doordrong, was dat het echt iets voor Tony junior was om 'overleden' te zeggen en niet 'gestorven'.

'Waar is ze aan... gestorven?' informeerde ze even later.

'Ze lijdt al heel lang aan een leveraandoening,' zei hij schor, 'dus grotendeels daaraan, gecompliceerd doordat ze in huis gevallen was.'

'Juist ja.' En Emmy hoorde haar stem wegzakken tot de verstomde ernst waarmee in de film mensen een bericht van overlijden ontvangen. Het leek allemaal niet echt. 'Hoe is je vader eronder?'

'Tja, hij... hij houdt zich wel goed.'

'Nou ja,' zei ze, 'doe hem... je weet wel... doe hem de groeten van me.'

Hoofdstuk 2

Howards auto werd net gerepareerd, dus moesten ze met de trein naar de begrafenis.

'Dzjemeek overstappe,' zei de conducteur.

Onderweg naar St. Charles, terwijl ze door een vuil raampje naar de langzaam voorbijtrekkende buitenwijken staarde, wijdde Emily zich volledig aan herinneringen aan haar zusje. Sarah op haar twintigste, elegant uitgedost in geleende kleren en zich beklagend dat die domme paasparade haar gestolen kon worden; Sarah op haar zestiende met beugels voor haar tanden, die elke avond over de gootsteen gebogen stond om haar truitjes te wassen; Sarah op haar twaalfde; Sarah op haar negende.

Op haar negende of tiende was Sarah verreweg de fantasierijkste van de twee geweest. Ze kon uit een Woolworth-boek van tien cent de aankleedpoppen en hun van lipjes voorziene kleding knippen zonder ooit naast de lijnen te gaan en elke aangeklede pop een eigen persoonlijkheid meegeven. Zij besliste welke meisjespop de knapste en populairste was (en als haar jurk naar Sarahs idee niet mooi genoeg was, ontwierp en maakte ze met gebruikmaking van kleurpotloden en waterverf een betere); daarna vouwde ze de andere poppen bij hun heupen naar voren om ze bij wijze van publiek te laten zitten; dan hield ze haar artiest rechtop vast, liet haar net als echte zangeressen een heel klein beetje trillen en liet haar *Welcome, Sweet Springtime* of *Look for the Silver Lining* zingen, waarvan ze allebei alle woorden kende.

'Alles goed met je, Emily?' vroeg Howard terwijl hij haar arm aanraakte.

'Ja hoor,' zei ze tegen hem. 'Best.'

Zoon Eric kwam hen op het station afhalen, hij droeg een spiegelende zonnebril en een goedkoop donker pak waaruit zijn grote polsen als stukken vlees omlaag hingen.

'Is Peter er al?' vroeg ze hem.

'Iedereen is er,' zei hij terwijl hij hen deskundig door het verkeer chauffeerde.

Dit werd afschuwelijk. Ze moest erdoorheen, er zat niets anders op, ze moest het op de een of andere manier tot het einde toe volhouden en proberen niet te vergeten dat Howard Dunninger bij haar was. Hij zat in zijn eentje op de achterbank van Erics auto, maar als ze een heel klein beetje met haar hoofd draaide, kon ze de goed geperste antracietgrijze flannel van zijn broek zien, en dat was troostend.

'Het wordt niet een echte begrafenis,' zei Eric aan het stuur. 'We krijgen alleen een korte dienst bij het... u weet wel... het graf.'

Even later liepen ze, onder een blauwe lucht, over frisgroen gras tussen grafzerken door en Emily bedacht dat de Wilsons inderdaad wel een belangrijke familie moesten zijn geweest, als ze in een van de dichtst bevolkte delen van Long Island een privébegraafplaats hadden. Over Sarahs open graf lag een grijs afdekzeil. Haar gesloten kist, die op het mechaniek stond dat haar in de aarde zou laten zakken, leek erg klein – ze was nooit bijster groot geweest behalve in jeugdherinneringen. Niet ver weg stond op een van de nieuwer uitziende grafzerken EDNA, GELIEFDE ECHTGENOTE VAN GEOFFREY, en zo kwam Emily dan te weten dat de oude Edna gestorven was: raar dat Sarah haar dat niet verteld had. Ze bedacht dat ze er Sarah na de plechtigheid naar moest vragen toen haar te binnen schoot dat ze Sarah nooit meer iets zou kunnen vragen. Ze stak heel verlegen, als een kind dat haar vaders vergiffenis zoekt, haar vingers door Howards arm. Ze kon Sarahs stem bijna horen zeggen 'Het is wel goed, Emmy. Het is wel goed.'

Links van hen stond een forse, zacht uitziende man te huilen of bewoog liever gezegd in een poging tot zelfbeheersing zijn lippen en knipperde met zijn rode ogen; vlak achter hem stond een matroneachtige jonge vrouw met een wankele peuter en een oudere jongen en meisje die aan haar rok hingen. Het was Tony junior met vrouw en piepjong kind en stiefkinderen. De geestelijke was er ook, hij omklemde zijn gebedenboekje terwijl ze wachtten tot de andere rouwdragers kwamen.

In de verte sloegen een paar autoportieren dicht en het duurde niet lang of er verscheen een groepje mannen, die er de pas in zetten. Tony liep in het midden, in geanimeerd gesprek met een andere man. Hij leek tegelijk te lachen en te praten, en hij maakte herhaaldelijk hetzelfde gebaar als toen hij jaren geleden Jack Flanders over de startsnelheid van de straaljagers van Magnum had verteld ('Sjjoem!') – waarbij zijn opgeheven vlakke hand razendsnel vanaf zijn slaap recht vooruit schoot. De man naast hem glimlachte en knikte en eenmaal gaf hij met zijn vuist een stomp tegen Tony's schouder. Aan hun kleren en gedrag te zien – stijfjes en solide, kleine burgerij – nam Emily aan dat die anderen een stel van Tony's collega's bij Magnum waren; achter hen liep Peter met een ander groepje mannen – ernstige jongemannen van ongeveer zijn eigen leeftijd die eruitzagen als laatstejaars studenten.

Tony praatte nog steeds toen hij bij de plek kwam waar Emily en Howard stonden. '...Recht vooruit, waar of niet?' wilde hij van de man naast zich weten. 'Niet omkijken' – hij maakte het handgebaar vanaf zijn slaap – 'alles recht vooruit.'

'Zo is het, Tony,' zei de man. 'Zo is het maar net.'

'Hé, zeg,' zei Tony, met zijn ogen knipperend. 'Dag, Emmy.' Zijn oogholten waren rood en gezwollen, alsof hij er zijn vuisten heel lang krachtig in had rondgedraaid.

'Dag, Tony.'

Toen zag hij Howard en schudde hem de hand. 'Leuk u te zien, meneer Howinger. Moet je horen zeg, er is vorige maand iemand van ons bij jullie gaan werken; ik zeg nog tegen hem "ik ken daar de juridisch adviseur; zou z'n nut voor je kunnen hebben". Misschien dat u hem tegen het lijf loopt; verdomd aardige kerel, hij heet... o, nee, wacht es even. Dat was Union Carbide.'

'Ach,' zei Howard, 'dat is min of meer hetzelfde.'

En Tony richtte zijn rooddoorlopen blik weer op Emily. Hij leek haar iets te willen vertellen waarvoor hem de woorden ontbraken. 'Ik zeg maar zó,' zei hij en hij hief zijn vlakke hand tot naast zijn oog. 'Recht vooruit. Niet omkijken; niet opzij kijken...' Zijn hand schoot naar voren. 'Recht vooruit.'

'Zo is het, Tony,' zei ze.

Toen de plechtigheid begon bleven de Magnum-employés en de laatstejaarsstudenten eerbiedig op een afstandje staan. Peter, wiens ogen en mond emotieloos leken, op bezorgdheid na, bracht zijn vader naar de zijkant van het graf en hield hem stevig aan zijn bovenarm vast als om te verhinderen dat hij zou vallen. Terwijl de stem van de geestelijke de ecclesiastische woorden psalmodieerde, viel Tony's mond open en hechtten zich trillend tussen zijn lippen een paar speekseldraden.

'...aarde tot aarde,' zei de geestelijke, 'as tot as, stof tot stof...' en hij verpulverde een hand aarde op het deksel van Sarahs kist om haar begrafenis te symboliseren.

Toen was het voorbij en ze liepen allemaal het kerkhof af. Peter had zijn vader aan de Magnum-employés overgedragen; nu kwam hij naast Emily en Howard lopen en zei 'U gaat toch nog even met ons mee naar huis? Kom, we nemen mijn auto.'

Behalve dat zijn handen op het contactsleuteltje en het stuur licht beefden, leek hij zichzelf volledig meester. 'Die jongens zijn vrienden van me van het seminarie,' zei hij onder het rijden. 'Ik heb ze niet gevraagd om te komen; ze kwamen erachter en zijn uit zichzelf hier naartoe gekomen. Ik ben altijd weer verbaasd hoe aardig de mensen zijn.'

'Mm,' zei Emily. Ze wilde vragen Hoe is ze gestorven, Peter? Zeg me de waarheid; in plaats ervan keek ze met afgewend hoofd hoe de fel verlichte supermarkten en benzinestations langsgleden. 'Peter,' vroeg ze na een tijdje. 'Maakt je grootvader het goed?'

'O, hij maakt het prima, tante Emmy. Hij wilde vandaag komen, maar hij durfde het niet aan. Hij zit al een tijdje in een verzorgingstehuis, moet u weten.'

Het oude huis zag er nog naargeestiger en onheilspellender uit dan Emily het zich had herinnerd. Een van Tony juniors stiefkinderen deed giechelend de deur voor hen open en rende weg om zich in de bedompte zitkamer te verstoppen; de rest van het gezelschap zat rond de eetkamertafel, die bezaaid was met ingrediënten voor sandwiches en flesjes bier en limonade. Het was een luidruchtig stelletje.

'...En deze jongen hier,' zei een van de Magnum-employés, en hij gaf Tony een enthousiaste stomp tegen zijn schouder, 'deze jongen hier vangt één waardeloos kogelvisje en maakt daar zo'n poeha over dat ik dacht dat hij de boot zou laten omslaan.'

Tony, zijn ogen nog gezwollen, wiegde in een lachkramp mee met de stomp en bracht een blikje bier naar zijn lippen.

'Kan ik iets voor u halen, tante Emmy?' vroeg Peter.

'Nee, dank je. Hoewel, ja... ik neem een biertje, als daar genoeg van is.'

'En voor u, meneer?'

'Voorlopig even niets, dank je,' zei Howard. 'Het is prima, zo.'

'Nee, maar d'r was één keer dat we gingen vissen, die zal ik nooit vergeten,' zei de employé van Magnum. Opgetogen over het succes van zijn eerste visverhaal begon hij aan een volgend, kennelijk zonder te merken dat hij het grootste deel van zijn publiek kwijt was. 'Wie waren daar ook weer allemaal bij, Tony? Jij, ik, Fred Slovick... ik weet niet meer. Hoe dan ook, we...'

'Nog iemand voor leverworst?' informeerde Tony junior. Hij nam de bestellingen voor sandwiches op. 'Wil je er gewone mosterd op, of die babystront?' Zijn vrouw, die de baby kennelijk even te slapen had gelegd, probeerde gemorste Coca-Cola van de jurk van een humeurige vijfjarige te vegen.

'Maar je moet me toch eens zeggen.' Een van de seminaristen, een sympathiek uitziende jongen met een zuidelijk accent, richtte een verlegen glimlach op Tony junior. 'Eén ding begrijp ik niet. Waarom heb je je broer niet vaker in elkaar geslagen toen jullie kinderen waren?'

'Dat heb ik geprobeerd,' zei Tony junior, terwijl hij mayonaise op roggebrood smeerde. 'Ik heb het vaak zat geprobeerd, maar dat was niet zo makkelijk. Ik bedoel, hij is klein, maar hij is pezig.'

'...Dus ik zeg "Ik zet vijf dollar in",' schreeuwde de Magnum-employé. '"Ik zet vijf dollar in dat Wilson de hele dag niks vangt".'

'Jezus christus, Marty,' zei Tony lachend en hoofdschuddend van vrolijke ergernis. 'Als we allemaal dood zijn vertel je dat verhaal nóg.'

Peter ging de telefoon opnemen; toen hij terugkwam zei hij 'Voor jou, pa.'

Nog met een blos van trots na Marty's verhaal (waarvan de clou was geweest dat hij die dag meer kogelvissen had gevangen dan wie ook in die boot), kneep Tony zijn ogen tot spleetjes boven een glas whisky en vroeg 'Wie is dat, Pete?'

'Brigadier Ryan. Je weet wel; van het politiebureau.'

Tony sloeg zijn whisky achterover en trok een gezicht bij de zoete pijn van de whiskysmaak. 'Politie,' mompelde hij, terwijl hij opstond. 'Die verdomde politie denkt dat ik mijn vrouw vermoord heb.'

'Toe nou, pa, maak je niet druk,' zei Peter sussend terwijl hij achter zijn vader de kamer uit liep. 'Je weet wel beter. Ik zeg je toch steeds weer: het is maar een routineonderzoek.'

Tony's gesprek met brigadier Ryan duurde niet lang; toen hij zich weer bij het gezelschap voegde nam hij nog een whisky – er gingen nu twee flessen whisky de tafel rond – en de luidruchtige lol ging tot ver in de namiddag door.

Donkerblauwe schaduwen vulden het huis toen Emily opstond om naar de wc te gaan. In de gang struikelde ze en viel bijna; toen ze zich oprichtte, bleek ze tegen een ladekastje gebotst te zijn met een stapel oude *Daily News* erop van een meter hoog. Op de terugweg kwam ze langs een ingelijste foto, de foto van Tony en Sarah op Paaszondag 1941. Hij hing scheef, als door de kracht van een zware klap die de muur had doen schudden. Voorzichtig, met onzekere vingers, hief ze haar handen en hing hem recht.

Er werden lampen aangedaan tegen de snel invallende schemering.

'...Nee, maar wat ik weten wil,' zei de Magnum-employé tegen Tony junior, 'is wat voor sóórt werk jullie voor me kunnen doen.'

'Het beste, Marty,' verzekerde Tony junior hem. 'Je kan 't iedereen vragen: we zijn de beste monteurs in dit deel van Suffolk County.'

'Want vanuit mijn gezichtsoogpunt, wil ik maar zeggen,' hield Marty koppig vol, 'vanuit mijn gezichtsoogpunt is dat het enige... je weet wel... punt van overweging.'

'Mamma,' jengelde een van de kinderen. 'Mammá, mogen we nou naar huis?'

'Hé zeg, kom d'r bij en neem een whisky,' zei Tony tegen een aarzelend groepje seminaristen. 'Drinken jullie eigenlijk wel eens?'

'Graag, meneer,' zei een van hen. 'Een beetje whisky met water graag.'

'Gaat het een beetje, Emily?' informeerde Howard, terwijl hij opkeek van zijn gesprek met weer een andere Magnum-employé.

'Het gaat wel. Kan ik iets te drinken voor je halen?'

'Ik heb al, dank je.'

Tijdens dat alles stond Eric in zijn eentje tegen de deurpost van de keuken geleund, zwijgend en ondoorgrondelijk achter zijn spiegelende zonnebril als een jonge veiligheidsagent die is ingehuurd om te zorgen dat het feestje niet uit de hand loopt.

De vrouw van Tony junior ging zonder van iemand afscheid te nemen met de kinderen naar huis; niet lang erna gingen de seminaristen weg, en even later vertrokken op Marty na alle Magnum-employés.

'...Hoor eens, Tony,' zei Marty. 'Je moet eten, zo is 't toch? We gaan met z'n allen bij Manny een steak eten.'

En na enig alcoholwarrig voorbereidend gekrakeel over wie met wie zou meerijden raasden de rouwdragers, verdeeld over een aantal auto's, over de hoofdweg naar een met schijnwerpers verlicht restaurant in Californische stijl dat Manny Feldon's Chop House heette.

Het was binnen zo donker dat ze bij het heffen van hun zware cocktailglazen maar net de overkant van de tafel konden zien. Peter was nuchter: hij zat vlak naast zijn vader, alsof ook deze ceremonie, net als die op het kerkhof, zijn assistentie zou kunnen vereisen. Marty en Tony junior waren weer diep verzonken in hun zakengesprek, hoewel dat nu een filosofische wending scheen te hebben genomen. Er ging niets boven eerlijk handwerk op welk gebied dan ook, zei Marty, terwijl Tony junior traag en gestaag knikte om aan te geven dat hij het er absoluut mee eens was. 'En dan bedoel ik op élk gebied, of dat nou werktuigkunde of timmerwerk of schoenmaken is of wat dan ook. Heb ik gelijk of niet?'

Emily hield zich met twee handen stevig aan haar rand van de tafel vast, want dat was nog het enig stabiele oppervlak in zicht: al het andere bewoog en draaide. Naast haar weggezakt in de dik gecapitonneerde muur – en ook de muur was instabiel – sloeg Howard zo veel drank achterover dat dit sinds ze hem kende wel eens de derde of vierde nacht zou kunnen worden dat hij dronken naar bed ging.

Eric zat dicht bij niemand en hij was de enige die stevig doorat toen de reuzensteaks kwamen. Hij at met de ritmische hartstocht van een uitgehongerd man, over zijn bord gekromd alsof dit garandeerde dat het niet zou worden weggegrist.

'...Nee, maar hoe ouder ik word,' zei Marty '...en vergeet niet, ik reken erop dat ik misschien nog maar vijftien jaar te gaan heb... hoe ouder ik word, hoe meer ik over de dingen nadenk. Ik wil maar zeggen, moet je die kinderen tegenwoordig zien rondzwerven met hun lange haar en hun lorrige spijkerbroeken en hun achterlijke ideeën, en wat weten ze ervan? Zo is het toch? Ik wil maar zeggen, wat weten ze ervan?'

Ten slotte bleek Howard nog nuchter genoeg om het spoorboekje uit zijn zak te vissen, dit bij het flakkerende schijnsel van zijn sigarettenaansteker te bestuderen en vast te stellen dat ze nog een kwartier hadden om de laatste trein te halen.

'Hou contact, tante Emmy,' zei Peter terwijl hij overeind kwam om afscheid van hen te nemen, en hij gaf Howard een hand. 'Heel vriendelijk dat u gekomen bent, meneer.'

Tony kwam met moeite, wankelend, uit zijn stoel. Hij mompelde iets onhoorbaars tegen Howard, veegde zijn mond af en leek te twijfelen of hij Emily een kus op haar wang zou geven. In plaats ervan hield hij één tel, zonder haar echt aan te kijken, haar hand vast; toen liet hij die los, bracht zijn hand langzaam naar zijn slaap en liet hem razendsnel naar voren schieten. 'Recht vooruit,' zei hij.

Emily deed er lang over voor ze besefte dat Sarah dood was. Soms, als ze wakker werd uit een droom over kinderjaren die vol waren van Sarahs gezicht en Sarahs stem, ging ze in de felverlichte badkamerspiegel haar eigen gezicht bestuderen tot ze gerustgesteld was dat dit nog steeds het gezicht van Sarahs zusje was, en dat het er niet oud uitzag.

'Howard?' vroeg ze een keer toen ze in bed lagen en op de slaap wachtten. 'Weet je? Ik wou echt dat je Sarah vroeger gekend had, voor alles een puinhoop werd. Ze was beeldschoon.'

'Mm,' zei hij.

'Beeldschoon en intelligent en levendig... en dit klinkt misschien dwaas, maar als je haar toen gekend had, denk ik dat het je misschien zou hebben geholpen om mij beter te leren kennen.'

'Ach, ik weet het niet. Ik denk dat ik je tamelijk goed ken.'

'Nee, dat is niet zo,' zei ze.

'Mm?'

'Je kent me niet echt goed. We praten haast nooit met elkaar.'

'Neem je me in de maling of zo? We praten verdomme voortdurend, Emily.'

'Je wilt nooit iets over mijn jeugd horen of zo.'

'Natuurlijk wel. Ik weet alles van je jeugd af. Bovendien is de jeugd van alle mensen nogal eender.'

'Hoe kun je zoiets zeggen? Alleen de stompzinnigste, ongevoeligste idioot ter wereld zou zoiets kunnen zeggen.'

'Oké, oké, oké,' zei hij slaperig. 'Vertel me een verhaal over je jeugd. Een hartverscheurend verhaal.'

'Bah!' En ze draaide zich van hem af. 'Je bent onuitstaanbaar. Je bent een neanderthaler.'

'Mm.'

'Een andere keer, toen ze terugkwamen van een ritje over het platteland bij schemering, zei ze 'Hoe kun je zo zeker weten dat het levercirrose was, Howard?'

'Ik weet het niet zeker; ik zei alleen dat het zeer waarschijnlijk was, gezien de mate waarin ze dronk.'

'Maar dat verdachte gedoe over "in huis gevallen zijn" is er ook nog. En de politie die opbelde, en Tony die zei "De politie denkt dat ik mijn vrouw vermoord heb". Ik wil wedden dat het zo is, Howard. Ik wil wedden dat hij haar in opwellende dronkemanswoede met een stoel heeft geslagen of zoiets.'

'Maar ze hebben hem niet gearresteerd, nietwaar? Als ze enig bewijs hadden gehad, hadden ze hem gearresteerd.'

'Ja, maar het kan dat de jongens en hij het bewijs verdonkeremaand hebben.'

'Lieverd, we hebben het hier al ik weet niet hoe vaak over gehad. Het is gewoon zoiets dat je nooit zult weten. Het leven zit vol met dat soort dingen.'

Drie of vier oude schuren gingen voorbij, en daarna ontelbare buitenwijken, en daarna het begin van de Bronx; ze waren al helemaal op weg naar de Henry Hudson Bridge toen ze zei 'Je hebt gelijk.'

'Gelijk waarover?'

'Het leven zit vol met dat soort dingen.'

Er waren ook dingen over Howard die ze nooit zou weten, hoe veel ze ook van hem hield. Soms leek het of ze hem eigenlijk ternauwernood kende.

Op haar werk ging het niet zo best. Hannah Baldwin vroeg Emily nog maar zelden om met haar te gaan lunchen – ze lunchte tegenwoordig met een van de jongere vrouwen op Emily's afdeling – en ze noemde haar nog maar zelden 'lieverd', en ze kwam ook niet meer zo vaak uit haar privékantoortje om een kloeke, goedgeklede dij op de rand van Emily's bureau te laten rusten en midden op een werkdag hele uren te verdoen met zinloos gekwebbel. Ze bekeek Emily tegenwoordig 'een beetje raar', zoals die het tegen Howard noemde – speculatief, niet erg vriendelijk – en ze had hier en daar kritiek op de manier waarop Emily haar werk deed.

'Doodsaai,' zei ze een keer van kopij waar Emily vele dagen aan gewerkt had. 'Een zielloze tekst. Kun je er niet op de een of andere manier een beetje leven in blazen?'

Toen de naam van een Zweedse importeur zonder de umlaut boven een van de klinkers gedrukt werd, suggereerde Hannah nadrukkelijk dat het allemaal Emily's schuld was. En toen Emily een advertentie van National Carbon door het productieproces liet gaan zonder te merken dat de woorden 'octrooi aangevraagd' na 'Tynol' ontbraken, gedroeg Hannah zich alsof er een ramp was gebeurd. 'Heb je enig idee wat de juridische consequenties van zoiets kunnen zijn?' wilde ze weten.

'Hannah, ik weet zeker dat het wel mee zal vallen,' zei Emily. 'Ik ken de juridisch adviseur van National Carbon.'

Hannah knipperde met haar ogen en kneep ze tot spleetjes. 'Je "kent" hem? Hoe bedoel je, je "kent" hem?'

Emily voelde het bloed naar haar gezicht stijgen. 'Ik bedoel dat we vrienden zijn.'

Het was even stil. 'Tja,' zei Hannah ten slotte, 'vrienden hebben is leuk, maar dat staat nogal los van de zakenwereld.'

Die avond vertelde Emily dit onder het eten tegen Howard en hij zei 'Klinkt alsof ze in de menopauze zit. Daar kun jij verdomd weinig tegen doen.' Hij sneed een stuk van zijn steak en kauwde het grondig voor hij het doorslikte. Toen zei hij 'Waarom neem je geen ontslag uit die rotbaan, Emily? Je hoeft niet te werken. We hebben het geld niet nodig.'

'Nee, nee,' zei ze snel. 'Zo erg is het nu ook weer niet; aan zoiets ben ik nog niet toe.' Maar toen ze later bij de gootsteen de afwas deed terwijl hij zich een digestief inschonk, voelde ze een hevige aandrang om te huilen. Ze had zin om bekoorlijk tegen zijn overhemd te gaan staan wenen. 'We hebben het geld niet nodig,' had hij gezegd, net alsof ze getrouwd waren.

Op een avond, een jaar na Sarahs dood, belde een vermoeide vrouwenstem op die zich kenbaar maakte als de staatsverpleeginrichting Central Islip en zei 'We moeten u tot onze spijt mededelen dat Esther Grimes gestorven is.'

'Ach,' zei Emily. 'Ja, ja. Ik begrijp het, kunt u me zeggen wat de procedure is?'

'De procedure?'

'Ik bedoel... u weet wel... het regelen van de begrafenis en zo.'

'Dat kunt u volledig zelf beslissen, juffrouw Grimes.'

'Ik weet dat ik dat zelf beslissen kan. Ik bedoel gewoon...'

'Als u een privébegrafenis wenst, kunnen we verscheidene uitvaartondernemingen hier in de omgeving aanbevelen.'

'Beveelt u er maar eentje aan, oké?'

'Ik heb instructie er verscheidene aan te bevelen.'

'O. Nou ja, oké, wacht even... dan pak ik een potlood.' En toen ze bij de telefoon wegliep en langs Howards stoel kwam zei ze 'Mijn moeder is dood. Wat zeg je me daarvan?'

Toen ze alles had afgehandeld vroeg Howard 'Emily? Wil je graag dat ik morgen met je mee daar naartoe ga?'

'O, nee,' zei ze tegen hem. 'Het wordt gewoon zo'n afschuwelijke korte plechtigheid in hoe-heet-het, het mortuarium. Dat kan ik wel alleen af.'

Toen Emily's taxi de volgende middag voor het mortuarium stopte wachtten Pookies kleinzoons daar alle drie onder de bomen van Central Islip. Ze waren de enigen daar. Peter verliet zijn broers en kwam naar voren om haar uit de taxi te helpen, hij glimlachte. 'Fijn u te zien, tante Emily,' zei hij. Hij droeg het boord van een geestelijke; hij was tot priester gewijd. 'Normaal gesproken sturen ze vanuit het verpleeghuis een priester hierheen om in de liturgie voor te gaan,' zei hij, 'maar ik heb gevraagd of ik het mocht doen en ze zeiden dat het goed was.'

'Goh, dat... dat is mooi, Peter,' zei ze. 'Dat is heel fijn.'

De schemerige huiskapel rook naar stof en vernis. Emily, Eric en Tony junior gingen op de voorste bank zitten, met uitzicht op het altaar waarop Pookies gesloten kist tussen twee kaarsen stond. Daarna kwam door een zijdeur Peter binnen, hij had de een of andere episcopale stola om, en begon hardop uit zijn kerkboek voor te lezen.

'...Want wij hebben niets in de wereld gebracht, het is openbaar, dat wij ook niet kunnen iets daaruit dragen. De Heere heeft gegeven, en de Heere heeft genomen; de naam des Heeren zij geloofd...'

Toen het voorbij was liep Emily naar de administratie en een loket met 'kassier', waar een man haar een gespecificeerde rekening gaf en – nadat hij haar rijbewijs had willen zien – haar cheque in betaling accepteerde. 'U mag het stoffelijk overschot begeleiden naar het crematorium,' zei hij, 'maar ik zou het u niet aanbevelen. Er valt niets te zien.'

'Dank u,' zei ze, en ze herinnerde zich de twee identieke rookkolommen aan de horizon van het Central Islip.

'U ook bedankt.'

De drie jongens Wilson stonden haar op te wachten. 'Tante Emmy?' vroeg Peter. 'Ik weet dat mijn vader het prettig zou vinden om u te zien. Is het goed dat ik u ernaartoe rijd, een paar minuten maar?'

'Eh, ik... ja, dat is goed.'

'Gaan jullie ook mee, jongens?'

Maar het bleek dat allebei zijn broers terug moesten naar hun werk, en na een gemompeld afscheid reed elk in een auto met brullende motor een andere kant op.

'Mijn vader is hertrouwd,' zei Peter terwijl hij met haar over een lange rechte weg reed. 'Wist u dat?'

'Nee; nee, dat wist ik niet.'

'Er had hem niets beters kunnen overkomen. Hij is met een heel aardige vrouw getrouwd die in St. Charles een restaurant heeft, een weduwe. Ze waren al jaren bevriend.'

'Juist ja. En wonen ze in het oude...'

'O nee; Hoge Hagen bestaat al heel lang niet meer. Hij heeft het vlak na de dood van mijn moeder aan een projectontwikkelaar verkocht. Er zijn daar nu alleen aarde en bulldozers. Nee, hij is bij zijn nieuwe vrouw ingetrokken... Vera heet ze... in een appartement boven het restaurant. Het is er heel leuk. En hij heeft zijn baan bij Magnum eraan gegeven... wist u dat?'

'Nee.'

'Hij heeft zo'n half jaar geleden een ernstig auto-ongeluk gehad, zwaar hoofdletsel en een gebroken schouder, dus toen is hij vervroegd met pensioen gegaan. Hij is nu zo'n beetje herstellende en doet het rustig aan; als hij er weer aan toe is om te gaan werken zal hij wel Vera's compagnon in het restaurant worden.'

'Juist ja.' Even later schoot haar de oude Geoffrey te binnen en ze vroeg naar hem. 'Hoe gaat het met je grootvader, Peter?'

'O, die is dood, tante Emmy. Hij is verleden jaar gestorven.'

'Dat, eh... dat spijt me.'

De weilanden aan weerszijden van de weg maakten plaats voor een dichte massa huizen en winkelcentra met duizenden vierkante meters geparkeerde auto's. 'Vertel eens iets over jezelf, Peter,' zei ze. 'Wat is je tegenwoordige standplaats?'

'Ik heb ermee geboft dat ik een fantastische baan kreeg,' zei hij, en hij keek snel even weg van het stuur. 'Ik ben hulppriester op het Edwards College, in New Hampshire. Kent u het Edwards van naam?'

'Jazeker.'

'Ik had niet beter kunnen verlangen als eerste aanstelling,' vervolgde hij. 'Mijn baas is een prima kerel, een prima priester, en onze ideeën lijken overeen te stemmen. Het werk is een uitdaging en heel bevredigend. Bovendien werk ik graag met jonge mensen.'

'Mm,' zei ze. 'Dat is mooi. Gefeliciteerd.'

'En hoe gaat het met u, tante Emmy?'

'O, zo'n beetje hetzelfde gangetje.'

Er viel een lange stilte. Toen, terwijl hij nadenkend voor zich uit naar de weg staarde, zei hij 'Weet u? Ik heb u altijd bewonderd, tante Emmy. Mijn moeder zei altijd "Emmy is een vrije geest". Ik wist toen ik klein was niet wat ze daarmee bedoelde, dus toen heb ik het haar een keer gevraagd. En ze zei "Het laat Emmy koud wat iemand van haar denkt. Ze is wie ze is en ze gaat haar eigen weg." '

Emmy's keelwanden trokken samen. Toen ze het gevoel had dat ze veilig weer iets kon zeggen, vroeg ze 'Zei ze dat echt?'

'Voor zover ik me kan herinneren, is dat precies wat ze zei.'

Ze reden nu door voorstadstraten die zo dicht bebouwd waren dat hij voortdurend voor stoplichten moest remmen. 'Het is niet zo ver meer,' zei hij. 'Meteen om de volgende hoek... Hier.'

Het reclamebord van het restaurant beloofde STEAK en KREEFT en COCKTAILS, maar had desondanks iets treurigs over zich: de verf bladderde van de witte overnaadse gevelplanken en de ramen waren te klein. Het was het soort restaurant dat een hongerige man en vrouw in een auto misschien een paar minuten als mogelijkheid zouden overwegen ('Wat vind jij?' 'Hmm, ik weet het niet; het ziet eruit of het helemaal niks is. Misschien is er verderop iets beters.' 'Ik heb je toch gezegd, lieverd, er is nog kilometers helemaal niets.' 'O, nou ja, als dat zo is... mij best; het zal me een rotzorg zijn.')

Peter parkeerde op het met onkruid begroeide grind van de bijbehorende parkeerplaats en ging Emily langs de zijkant van het huis voor naar een houten achtertrap die omhoog, naar een deur op de eerste verdieping voerde.

'Pa?' riep hij. 'Ben je thuis?'

En daar was dan Tony Wilson, die eruitzag als een ouder wordende, verbijsterde Laurence Olivier terwijl hij de dunne deur voor hen opendeed en hen binnenliet. 'Hé, zeg,' zei hij. 'Dag, Emily.'

Het kleine appartement had iets geïmproviseerds – het deed Emily aan Pookies vroegere appartement boven de garage van Hoge Hagen denken – en er stonden te veel meubels in. Twee van

Tony's voorvaderen staarden hen vanaf de stampvolle muren aan; de andere schilderijen waren van het soort dat je met lijst en al in een bazaar koopt. Vera kwam gejaagd vanuit de keuken de kamer in, een en al glimlach, een robuust uitziende vrouw van in de veertig met grove botten, die een short droeg.

'Hopelijk denk je niet dat ik altijd van die dikke benen heb,' zei ze. 'Ik heb vreselijke allergieën en soms zwellen daardoor mijn benen op.' En ze sloeg met haar vuist tegen een trillende dij om aan te geven dat er buitenmatig veel vlees op zat. 'Zoek alsjeblieft ergens een plek om te zitten. Peter, haal die doos eens uit de blauwe stoel zodat ze kan zitten.'

'Dank je,' zei Emily.

'Het speet ons te horen, van je moeder,' zei Vera met zachtere stem, terwijl ze naast Tony op een kleine sofa ging zitten die Emily nog uit het oude huis herkende. 'Je krijgt maar één moeder.'

'Ach, ze was... al heel lang erg ziek.'

'Weet ik. Het ging met mijn moeder net zo. Vijf jaar ziekenhuis in, ziekenhuis uit, met voordurend pijn. Pancreaskanker. Mijn eerste man ook al... darmkanker. Hij is creperend van de pijn gestorven. En deze hier.' Ze gaf Tony een harde por in zijn bovenarm. 'God, wat heeft deze me laten schrikken. Heeft Peter je van het ongeluk verteld? O, ik vergeet helemaal je iets aan te bieden. Wil je misschien koffie? Of thee?'

'Nee, dank je; geen van beide. Ik hoef niets.'

'Neem dan een koekje; ze zijn lekker.' Ze wees op een schaal chocolate-chip koekjes op de salontafel. Peter stak zijn hand uit om er eentje te pakken, en hij knabbelde erop terwijl zij doorpraatte. 'Hoe dan ook,' zei ze 'om half zes 's avonds word ik gebeld door de verkeerspolitie, en ik was al in het ziekenhuis voor ze met hem aan de slag gingen. Hij lag op een brancard in de eerste hulp, buiten bewustzijn, overal bloed, en ik zweer bij God dat ik dacht dat hij dood was. Zijn hersens puilden eruit.'

'Het is wel goed, Vera,' zei Peter met zijn mond vol koek.

Ze keerde zich tegen hem, haar ogen rond van onschuld en woede. 'Je gelooft me niet? Je gelooft me niet? Ik zweer bij God. Ik zweer bij God, Peter, de man z'n hersens puilden uit in zijn haar.'

Peter slikte. 'Nou ja,' zei hij, 'het is ze dan toch gelukt om hem op te lappen.' En hij wendde zich tot zijn vader. 'Pa, dit is dat artikel waarover ik je vertelde, waarvan ik dacht dat je het misschien zou willen lezen.' Een opgevouwen brochure, fraai gedrukt op luxueus geelbruin papier, met in het opschrift een soort klassiek Engels schildhoofd en de woorden 'Edwards College'.

'Wat is dat?' wilde Vera weten, nog steeds gepikeerd over zijn ongeloof dat er hersens in het haar hadden gezeten. 'Een preek of zoiets?'

'Toe nou, Vera,' zei Peter. 'Je weet best dat ik je niet met preken aankom. Het is gewoon een bulletin dat mijn kerk verspreidt.'

'Mm,' zei Tony. Hij haalde een leesbril uit de borstzak van zijn overhemd, zette hem op en tuurde erdoor naar de brochure, waarbij hij een paar keer met zijn ogen knipperde.

'Dat eerste artikel is van mijn baas,' legde Peter uit. 'Misschien vind je het leuk om dat ook te lezen. Mijn stuk staat op de middenpagina.'

'Mm.' Tony stopte de brochure zorgvuldig in de borstzak van zijn overhemd, bij zijn bril en zijn pakje sigaretten, en zei 'Fraai stuk, Peter.'

'Die Peter toch,' zei Vera vertrouwelijk tegen Emily. 'Lekker jong is 't, vind je niet? Denk je niet dat die binnenkort een meisje gelukkig maakt?'

'Nou en of.'

'Tussen Tony junior en mij gaat het niet zo best,' zei ze, 'en Eric... nou ja, hoe dat met Eric zit weet ik niet; maar Peter. Dat is een lekker jong. Maar zal ik je eens wat zeggen? Ze verwennen hem, al die vrouwen daar op Edwards College. Ze verwennen hem tot in de grond. Ze geven hem te eten; ze maken zijn bed voor hem op; ze brengen zijn was voor hem naar de wasserij...'

'Het is wel goed, Vera,' zei Peter en daarna keek hij op zijn horloge. 'Ik denk dat we maar eens op weg moesten, tante Emmy, als we die trein nog willen halen.'

De daaropvolgende winter moest Howard weer een keer naar Los Angeles – de zevende of achtste van dergelijke reizen sinds ze hem kende.

'Ik heb daar al die dikke dingen niet nodig,' zei hij, toen ze hem hielp met zijn koffer inpakken. 'Je hebt geen idee hoe warm het daar is.'

'Ach ja,' zei ze. 'Dat is ook zo, was ik vergeten.' En ze liet hem verder alleen zijn koffer pakken.

Ze ging naar de keuken om koffie te zetten, maar veranderde van gedachten en schonk zich een glas whisky in. Het maakte haar altijd van streek als hij wegging. Ze wilde hem absoluut niet vragen of hij van plan was daar Linda te ontmoeten: toen ze dat de vorige keer had gevraagd, de derde of vierde keer dat hij ging, was dat uitgelopen op iets dat bijna een ruzie was. Bovendien, verzekerde ze zichzelf terwijl de alcohol haar bloed verwarmde, was het niet echt erg waarschijnlijk. Linda en hij waren al bijna zes jaar uit elkaar – zes jaar, godbetert – en hoewel hij soms nog op dezelfde razend makende manier van vroeger over haar praatte, moest nu toch duidelijk zijn dat het huwelijk ten einde was.

Maar dat bracht de geniepige vraag ter sprake die al van het begin af door haar hoofd zeurde, die steeds weer dreigde haar zo ver te krijgen dat ze hem met snerpende, overtollige aanspraken op antwoord aan zou vliegen: als het huwelijk ten einde was, waarom gingen ze dan niet scheiden?

'Wat heb jij nou?' vroeg Howard, glimlachend in de opening van de keukendeur. 'Drink je in je eentje?'

'Ja hoor. Ik drink altijd in mijn eentje als jij op zo'n reis gaat. Ik oefen voor als jij voorgoed naar Californië verdwijnt. Over een jaar of wat ben ik een van die afschuwelijke oude vrouwen die je met vier boodschappentassen op straat ziet, terwijl ze in vuilnisbakken zoeken en in zichzelf praten.'

'Hou daarmee op, Emily. Ben je kwaad op me? Waar ben je kwaad over?'

'Natuurlijk ben ik niet "kwaad" op je. Wil je iets drinken?'

Die reis naar Californië gaf haar geen reden tot ongerustheid. Hij belde haar vier keer op terwijl hij weg was en de vierde keer, toen hij zei dat hij moe was, zei ze 'Moet je horen, Howard: laat dat afschuwelijke gedoe nou maar zitten om vanaf het vliegveld een taxi naar huis te nemen. Ik kom je wel met de auto afhalen.'

'Nee, nee,' zei hij. 'Dat hoeft niet.'

'Ik weet dat het niet hoeft. Ik wil het gewoon graag.'

Het was even stil terwijl hij erover leek na te denken. Toen zei hij 'Oké, dat is goed. Je bent een lieverd, Emily.'

Ze was niet gewend om met zijn grote, stille auto te rijden, zeker 's avonds en in de regen niet. Het vermogen en de soepelheid van de wagen maakten haar angstig – ze remde vaker dan nodig, zodat chauffeurs achter haar claxonneerden – maar ze genoot van het luxueuze, massieve gevoel ervan en zoals het donkere, donkere groen van de brede motorkap bepareld was met trillende regendruppels.

Howard leek afgetobd en doodmoe toen hij onder aan de vliegtuigtrap tevoorschijn kwam – hij zag er oud uit – maar toen hij haar in het oog kreeg kwam er een blos op zijn gezicht die bijna jongensachtig was. 'Verdomd,' zei hij. 'Hè, wat fijn dat je hier staat te wachten.'

Minder dan een jaar later ging hij weer naar Californië – en dit keer was zijn afwezigheid vervuld van stilte en vrees. Ze kon niet eens plannen maken om hem met de auto te gaan afhalen omdat ze niet zeker wist op welke dag of nacht hij thuis zou komen, laat staan met welke vlucht. Ze kon alleen maar wachten – proberen tijdens werkuren Hannah Baldwins ontevredenheid te sussen, proberen de hevige verleiding zich 's avonds in slaap te drinken te onderdrukken.

Toen ze in die periode een keer na de lunch terugliep naar kantoor zag ze een hologig, humeurig vrouwengezicht – een gezicht waarvan iedereen gezegd zou hebben dat het op een lelijke manier verouderde (ogen met rimpels en donkere kringen; een zwakke mond vol zelfmedelijden) – en bleek haar met een schok dat zij het was, onverhoeds betrapt in de weerspiegeling van een etalageruit. Die avond probeerde ze, alleen voor de badkamerspiegel, op ontelbare manieren het gezicht er beter uit te laten zien – in een subtiele glimlach en daarna in een bredere van pure verrukking de ooghoeken te laten rimpelen, de lippen in diverse gradaties strak te trekken en te ontspannen terwijl ze met een handspiegel het effect op haar profiel van diverse kanten inschatte, onvermoeibaar te experimenteren met nieuwe manieren om de vorm ervan door verschillende kapsels beter te laten uitkomen. Vervolgens trok ze voor de passpiegel in de hal al haar kleren uit en bekeek kritisch onder de felle lampen haar lichaam. Ze moest haar buik plat inhouden voor die er goed uitzag, maar kleine borsten hebben was nu bijna een voordeel; daaraan kon leeftijd niet veel verknoeien. Ze wendde zich af en tuurde over haar schouder om te bevestigen wat ze al wist, dat haar billen te laag hingen en haar dijen van achteren gerimpeld waren; maar over het geheel genomen, besloot ze, en ze ging weer met haar gezicht naar de spiegel staan, viel ze best mee. Ze mat met stappen drie meter af, tot ze op het tapijt van de woonkamer stond, en werkte daar een reeks passen en houdingen af die ze tijdens lessen moderne dans op Barnard had geleerd. Het was een goede lichaamsbeweging, en het gaf haar een trots-erotisch gevoel. De spiegel in de verte toonde een slank, soepel meisje in moeiteloze beweging, tot ze een voet verkeerd neerzette en in onbeholpenheid verstijfde. Ze ademde zwaar en begon te zweten. Dit was dwaasheid.

Wat ze nu moest doen was een douche nemen. Maar toen ze de badkamer in liep betrapte de spiegel van het medicijnkastje haar even wreed als diezelfde dag op straat de etalageruit en daar was het weer: het gezicht van een vrouw op middelbare leeftijd, in hopeloze en afschuwelijke nood.

Howard kwam twee avonden na de avond dat ze hem niet meer verwachtte naar huis en toen ze hem zag, misschien zelfs al bij het geluid van zijn sleutel in het slot, wist ze meteen dat alles voorbij was.

'...Ik zou je gebeld hebben,' legde hij uit, 'maar ik zag het nut er niet van in je wakker te maken om alleen maar te zeggen dat ik aan de late kant zou zijn. Hoe gaat het met je?'

'Goed. Hoe was je reis?'

'Mm... het was me de reis wel. Ik schenk voor ons allebei iets te drinken in en dan praten we verder.' Vanuit de keuken, boven het geluid van ijsblokjes en glazen uit, riep hij 'Er valt trouwens een hoop te bepraten, Emily,' en hij kwam met twee tinkelende hoge glazen naar haar terug. Hij keek schuldbewust. 'Allereerst,' begon hij na de diepe zucht die op zijn eerste slokjes volgde, 'is het naar ik aanneem niet echt nieuw voor je dat ik zo nu en dan tijdens die reizen in de afgelopen... hoe lang dan ook... Linda gesproken heb.'

'Nee,' zei ze. 'Dat is niet echt nieuw voor me.'

'Soms was ik een dag of twee eerder met mijn werk klaar,' vervolgde hij, zo te horen bemoedigd, 'en vloog ik naar San Francisco en gingen we samen iets eten. Verder niets. Dan vertelde ze me hoe het met haar ging... en het gaat trouwens heel goed met haar: een ander meisje en zij hebben een eigen zaak, ze ontwerpen kleding... en dan zat ik daar gewoon zo'n beetje te doen alsof ik haar vader was. Ik heb haar een paar keer gevraagd of ze nog aardige kerels was tegengekomen en als ze me dan over mannen vertelde die ze "zag" of waarmee ze "uitging" dan voelde ik mijn hart als een krankzinnige... ik weet niet wat, gaan bonken. Dan voelde ik het bloed helemaal naar mijn vingertoppen jagen. Dan voelde ik...'

'Kom ter zake, Howard.'

'Goed.' Hij dronk bijna zijn hele bourbon-met-water op, toen zuchtte hij weer, als opgelucht dat het moeilijkste voorbij was. 'Het punt is dat ik op deze reis eigenlijk niets voor National Carbon te doen had,' zei hij. 'Ik heb wat dat betreft tegen je gelogen, Emily, en dat spijt me. Ik heb een hekel aan liegen. Ik was de hele tijd bij Linda. Ze is nu bijna vijfendertig... je kunt haar onmogelijk nog een licht te beïnvloeden kind noemen... en ze heeft besloten dat ze bij me terug wil komen.'

Nog weken en maanden daarna bedacht Emily vele hartstochtelijke, goed geformuleerde replieken die ze op die mededeling had kunnen geven; maar op dat moment kwam ze niet verder dan het zwakke, zachtmoedige zinnetje waarom ze zichzelf haatte dat ze het van kinds af gebruikte: 'Ik begrijp het.'

Howard had al binnen een paar dagen zijn spullen uit het appartement weggehaald. Hij zei voortdurend dat het hem allemaal speet. Eén keer maar, toen hij met een snel gebaar het dikke zijden koord van zijn dassen uit de kast haalde, was er een soort scène en die ontwikkelde zich tot zoiets laags en ellendigs – het eindigde ermee dat ze op haar knieën viel om zijn benen te omhelzen en hem smeekte, smeekte om te blijven – dat Emily haar uiterste best deed die uit haar gedachten te zetten.

Er waren ergere dingen op de wereld dan alleen zijn. Dat hield ze zich elke dag weer voor terwijl ze zich efficiënt klaarmaakte om naar haar werk te gaan, haar acht uur bij Baldwin Advertising te doorstaan en de avonden meester te worden tot ze kon slapen.

Michael Hogan stond niet meer in het telefoonboek van Manhattan vermeld, evenmin als zijn reclamebureau. Hij had het er altijd over gehad dat hij naar Texas wilde verhuizen, waar hij vandaan kwam; waarschijnlijk had hij dat ook echt gedaan.

Ted Banks stond er nog in, op zijn oude adres, maar toen ze hem belde, zette hij met buitensporig lijkende gêne uiteen dat hij met een verrukkelijk iemand getrouwd was.

Ze probeerde anderen – het had altijd geleken of haar leven gevuld was met mannen – maar het werd met geen van allen iets.

Er was geen Flanders, John; en toen ze Flanders, J. probeerde, op West End Avenue, bleek dat een vrouw te zijn.

Een jaar lang ontleende ze een exquise pijn – bijna een genot – aan het tegemoet treden van de wereld alsof het haar allemaal niet kon schelen. Moet je mij zien, hield ze zich dan midden op een dag vol beproevingen voor. Moet je mij zien: ik overleef het; ik red het; ik heb het allemaal in de hand.

Maar sommige dagen waren erger dan andere; en een middag, een paar dagen voor haar achtenveertigste verjaardag, bleek bijzonder erg. Ze was met een hoeveelheid kant-en-klare kopij en lay-outs ter goedkeuring naar een cliënt in de buurt van Central Park gegaan en bij terugkomst was ze al helemaal in Hannah Baldwins werkkamer toen ze ontdekte dat ze het allemaal op de achterbank van de taxi had laten liggen.

'O, mijn God!' schreeuwde Hannah en wankelde op de zwenkwielen van haar bureaustoel achteruit alsof ze dwars door haar hart was geschoten. Toen reed ze weer vooruit, legde beide ellebogen op het bureau en hield met alle tien haar vingers haar hoofd zo vast dat haar keurige kapsel door de war raakte. 'Dat meen je niet,' zei ze. 'Dat was kant-en-klare kopij. Dat was goedgekeurde kopij. De handtekening van de cliënt stond erop...'

En Emily bleef naar haar staan kijken, en besefte eindelijk dat ze altijd een grote hekel aan haar had gehad, en wist dat het waarschijnlijk voor het laatst was dat ze ooit met deze vernedering zou worden geconfronteerd.

'...Door en door, uiterst onzorgvuldig,' zei Hannah. 'Zelfs een kínd kun je zoiets toevertrouwen, en zo typerend voor jou, Emily. En het is niet dat je niet gewaarschuwd was; ik heb je alle kans gegeven. Je leunt voortdurend op mij... je leunt nu al jaren op mij... en ik kan het me eenvoudig niet meer veroorloven.'

'En ik heb jou ook een paar dingen te zeggen, Hannah,' zei Emily, trots dat ze maar een beetje trilde en dat haar stem bijna zonder te beven uit haar mond kwam, 'en het eerste is dat ik hier al te lang werk om de laan uit gestuurd te worden. Ik wil per vandaag mijn ontslag.'

Hannah haalde haar handen van haar gehavende kapsel en keek voor het eerst op, Emily recht aan. 'O, Emily, wat ben je toch een kind. Begrijp je dan niet dat ik je een gunst probeer te bewijzen? Als je ontslag neemt heb je niets. Als je je door mij laat ontslaan, kun je een werkloosheidsuitkering krijgen. Weet je zelfs dat niet? Ben je op je achterhoofd gevallen?'

Hoofdstuk 3

IN DE BIJSTAND – HET VERHAAL VAN EEN VROUW

Als je in New York ontslagen wordt kun je een jaar een werkloosheidsuitkering krijgen. Daarna, als je dan nog steeds geen werk hebt, kun je alleen nog je toevlucht nemen tot de bijstand. In de stad New York lopen meer dan anderhalf miljoen mensen in de bijstand.

Ik ben blank, Angelsaksisch, protestant en heb een universitaire graad. Ik heb altijd een vak beoefend en daarin mijn brood verdiend – als bibliothecaresse, als journaliste, en ten slotte als copywriter in de reclamebranche. Ik sta nu voor de negende maand ingeschreven als werkloze, met geen ander vooruitzicht dan de bijstand. Mijn arbeidsconsulenten, zowel van staatswege als particulier, hebben hun best gedaan; ze vertellen me allemaal dat er domweg geen banen zijn.

Niemand heeft dan misschien een volledige verklaring voor deze vervelende situatie, maar – op het gevaar af gemakkelijk en maar al te modieus zelfmedelijden aan de dag te leggen – waag ik een gokje: ik ben een vrouw en ik ben niet jong meer.

Verder was Emily's artikel niet gekomen. Het zat al weken in haar schrijfmachine gerold; het papier was nu omgekruld en zongebleekt en raakte bestoft.

Ze was elf maanden officieel werkloos toen ze ging vrezen dat ze misschien bezig was gek te worden. Ze had haar vroegere appartement opgegeven en was naar een kleiner, goedkoper appartement in een zoveel-en-twintigste straat west verhuisd, niet ver van waar Jack Flanders vroeger gewoond had. Terwijl ze keek hoe het vroege ochtendlicht tussen de voormalige fabrieken en pakhuizen aan de overkant van de straat sijpelde, dacht ze vaak aan Jack Flanders die in de mouw van haar badjas haar elleboog streelde en zei 'Soms, als je het slim speelt, leer je een aardig meisje kennen.' Maar dat was een deel van het probleem: ze leefde voortdurend in herinneringen. Geen aanblik of geluid of geur in heel New York was vrij van associaties met vroeger; waar ze ook liep – en ze liep soms urenlang – vond ze alleen het verleden.

Sterke drank schrok haar af, maar ze dronk genoeg bier om haar 's middags te laten slapen – het was een goede manier om de tijd te doden – en op een keer, toen ze uit een van deze dutjes wakker werd en op het bed naar vier lege bierblikjes op de grond zat te staren, kreeg ze haar eerste aanwijzingen voor waanzin. Als iemand haar had gevraagd wat voor dag of maand of jaar het was, had ze moeten zeggen 'Wacht... even nadenken,' en ze wist niet of het grijs achter haar ramen dageraad of avondschemering was. Erger nog, haar dromen waren gevuld geweest met schreeuwerige stemmen uit het verleden en de stemmen praatten ook nu nog door. Ze rende naar de deur om zich ervan te vergewissen dat hij op slot was – mooi zo; er kon niemand binnenkomen; ze was alleen en veilig op haar eigen geheime plek – en nadat ze daar een hele tijd met haar vuist in haar mond had gestaan, pakte ze het telefoonboek en bladerde onhandig door de vermeldingen 'New York – Gemeentelijke Diensten' tot ze het 'Informatienummer Geestelijke Hulpverlening' vond. Maar toen ze het nummer wilde bellen, ging de telefoon elf keer over zonder dat er werd opgenomen. Toen herinnerde ze zich dat het zondag was; ze zou moeten wachten.

'Je zou wat meer onder de mensen moeten komen, Emily,' hield Grace Talbot haar vaak voor. Grace Talbot had ook bij Baldwin Advertising gewerkt – tot ze een betere baan bij een groter reclamebureau vond – en was de laatste tijd de enige vriendin die Emily nog had. Ze was zuur en niet erg innemend en had een gezicht als een havik, maar eens per week, als ze 's avonds hadden afgesproken om in een restaurant iets te eten, leek ze beter dan niets.

En ze was nu absoluut beter dan niets. Emily was al halverwege het draaien van haar nummer, toen tot haar doordrong dat ze niet wist wat ze moest zeggen. Ze kon niet 'Grace, ik geloof dat ik gek word,' zeggen zonder zich belachelijk te maken.

'Hallo?'

'Hi, Grace, met Emily. Ik bel gewoon... je weet wel... niet met een speciale reden, gewoon om een praatje te maken.'

'O. Eh... leuk. Hoe gaat het ermee?'

'Wel goed, geloof ik, behalve dan dat de zondagen in New York nogal afschuwelijk kunnen zijn.'

'Echt? Mijn God, ik ben dól op zondagen. Ik lig genotzalig uren met de *Times* en kaneelbeschuitjes en de ene kop thee na de andere in bed en daarna ga ik 's middags in het park wandelen, of soms komen er vrienden langs, of soms ga ik naar de bioscoop. Het is de enige dag van de week dat ik me volledig mezelf voel.'

Er viel een korte stilte waarin het Emily speet dat ze überhaupt had opgebeld. Toen vroeg ze 'Wat heb je vanmiddag gedaan?'

'Ik heb met een paar vrienden, George en Myra Fox, iets gedronken. Ik heb je over ze verteld: hij schrijft flapteksten voor paperbacks; zij is reclametekenaar. Het zijn énige mensen.'

'Tja. Nou ja, ik dacht gewoon laat ik me even melden... je weet wel... kijken hoe het met je is.' Bij alles wat ze zei kreeg ze een grotere hekel aan zichzelf. 'Het spijt me als ik je midden in iets gestoord heb of iets dergelijks.'

En er viel weer een stilte. 'Emily?' zei Grace Talbot uiteindelijk. 'Weet je? Ik wou dat je ophield om me voor de gek te houden, en jezelf voor de gek te houden. Ik wéét hoe eenzaam je bent; het is misdadig dat een mens zo eenzaam kan zijn. Moet je horen: George en Myra hebben voor aanstaande vrijdagavond een paar mensen gevraagd. Waarom ga je niet mee?...'

Een feestje. Het zou het eerste feestje worden in langer dan ze zich wilde herinneren en tot vrijdag was nog maar vijf dagen.

Ze kon de hele week aan niets anders denken; toen was het ineens vrijdag en was het enig belangrijke ter wereld dat ze de juiste kleren uitzocht en zorgde dat haar haar goed zat. Ze besloot tot een eenvoudig zwart jurkje (Ze herinnerde zich onwillekeurig dat Howard Dunninger over Linda gezegd had: 'Ze droeg een eenvoudige, korte zwarte jurk...') en een kapsel waarbij een haarlok aantrekkelijk laag boven één oog hing. Ze zag er goed uit. Het was niet onmogelijk dat daar een man zou zijn, een grijzende, aangenaam ogende man van haar eigen leeftijd of ouder, die zei 'Vertel me over jezelf, Emily...'

Maar het was helemaal geen echt feestje. De acht of tien mensen in de woonkamer van de Foxes kwamen geen moment uit hun stoel om rond te drentelen; ze leken elkaar allemaal te kennen en zaten in diverse houdingen van uitputting en met boosaardig spottende gezichten aan piepkleine glaasjes goedkope rode wijn te nippen. Er waren geen loslopende mannen. Emily en Grace, die tamelijk ver van de hoofdgroep vandaan zaten, stonden volledig buiten het gesprek tot Myra Fox hen bedrijvig te hulp kwam, in haar kielzog de verwachtingsvolle, luisterende blikken van verscheidene andere gasten.

'Had ik je al verteld van Trudy?' wilde ze van Grace weten. 'Onze buurvrouw hier op de etage? Ze zei dat er een kans is dat ze straks nog even langskomt, dan leer je haar misschien zelf kennen, maar eerst moet je iets over haar weten. Ze is me er eentje. Ze...'

En hier onderbrak George Fox, die met de wijnfles opgeheven klaarstond om in te schenken, zijn vrouw met een stem die luid genoeg was om zich tot de hele groep te richten. 'Trudy heeft een masturbatiekliniek voor vrouwen,' zei hij.

'O, George, het is geen "kliniek". Het is een studio.'

'Oké, een studio,' zei George Fox. 'Ze krijgt er vrouwen van alle leeftijden... meestal zo'n beetje van middelbare leeftijd, krijg ik de indruk... en ze rekent een heel fors inschrijfgeld. De groepen komen in haar studio bij elkaar en doen eerst een warming-up aan de hand van figuren uit de moderne dans – naakt, natuurlijk... en dan gaan ze over tot... nou ja, dat ligt voor de hand, zullen we maar zeggen. Want Trudy gelooft niet in masturbatie als armzalig surrogaat voor het echte werk, begrijp je wel; ze gelooft in masturbatie als manier van leven. Als een soort toppunt van radicaal feminisme. Wie heeft er nou een man nodig?'

'Niet te geloven,' zei iemand.

'Je gelooft het niet? Blijf nog even. Dan leer je haar kennen. Vraag het haar zelf. En ze vindt het heerlijk om bezoekers door de studio rond te leiden.'

Trudy kwam later inderdaad nog even langs – of liever gezegd, ze maakte haar entree. Het schokkendst was nog haar kaalgeschoren hoofd – ze zag eruit als een knappe, volledig kale man van een jaar of veertig – en daarna vielen je haar kleren op: een donkerrood heren-onderhemd waardoor de tepels van haar kleine borsten vooruit sprongen en een lichtblauw gebleekte spijkerbroek met op het kruis een opgewerkt appliqué in de vorm van een grote gele vlinder. Ze mengde zich een tijdje met het gezelschap, waarbij ze met zulke diepe halen een sigaret rookte dat haar holle wangen en prominente jukbeenderen beter uitkwamen; later, toen sommige gasten aanstalten maakten om weg te gaan, vroeg ze 'Heeft iemand zin om mijn studio te bekijken?'

Eerst kwam een hal met een heleboel jassenhaken aan de muren en een bord boven de doorgang met S.V.P. UW KLEREN UITTREKKEN. 'Laat maar,' zei Trudy, 'maar wel alsjeblieft je schoenen uitdoen,' en ze ging haar ongeschoeide gasten voor in een grote ruimte met een dik tapijt.

Aan een muur hing een reusachtig, anatomisch perfecte tekening van een vrouw die naakt en met haar benen uit elkaar achteroverleunde terwijl ze met haar ene hand haar borst streelde en met een elektrische vibrator in de andere haar kruis bewerkte. Aan een andere muur, vanaf het plafond overgoten door licht van een spotlight, hing wat eruitzag als een gebeeldhouwde zonnebundel van vele peulachtige, aluminium vormen. Van dichtbij bleken de peulen nauwkeurige, levensgrote weergaven van open vagina's – sommige aanzienlijk groter dan andere, alle met buitenste en binnenste schaamlippen die op een gecompliceerde manier verschilden. Emily bekeek onderzoekend de uitstalling toen Trudy bij haar schouder kwam staan.

'Dit zijn een paar van mijn leerlingen,' legde ze uit. 'Een bevriende beeldhouwer heeft ze eerst in was geboetseerd, daarna zijn er aluminium afgietsels van gemaakt.'

'Juist ja,' zei Emily. 'Wat eh, wat... interessant.' Het wijnglas was warm en kleverig in haar vingers en haar ruggengraat deed pijn van vermoeidheid. Ze had zo'n angstig vermoeden dat als ze niet onmiddellijk zorgde dat ze wegkwam, Trudy haar zou vragen om zich in te schrijven voor haar lessen.

Ze probeerde zich niet te haasten, excuseerde zich en ging terug naar de hal waar haar schoenen lagen, en even later terug naar het appartement van de Foxen, waar diverse mensen het met elkaar eens waren dat Trudy's studio echt het waanzinnigste was dat ze ooit hadden gezien.

'Ik heb jullie toch gezegd,' zei George Fox steeds weer. 'Jullie wilden me niet geloven, maar ik heb jullie toch gezegd...'

Toen was het feestje afgelopen en nam ze op het trottoir afscheid van Grace Talbot, die steeds weer met nadruk zei dat het een 'enige avond' was geweest, en toen was ze op weg naar huis.

Er waren geen feestjes meer en ze ontwende het om te gaan wandelen. Ze kwam alleen haar appartement uit om eten te kopen ('tv-diners' en andere goedkope kant-en-klaarmaaltijden, gemakkelijk te bereiden en snel opgegeten), en er waren vele dagen dat ze zelfs dat niet deed. Op een keer, toen ze zich gedwongen had naar buiten, naar een kleine buurtsuper te gaan, had ze haar aankopen uit de schappen en de diepvries gehaald en die naast de kassa gelegd, toen ze opkeek en merkte dat de eigenaar haar glimlachend recht in haar ogen keek. Hij was een zachte, gezette man van in de zestig, met koffievlekken op zijn schort, en hij had al die keren dat ze met hem te maken had gehad nog nooit zo tegen haar geglimlacht, of zelfs maar iets tegen haar gezegd.

'Weet u?' vroeg hij, verlegen alsof hij op het punt stond een liefdesverklaring af te steken. 'Als al mijn klanten waren zoals u, zou mijn leven een heel stuk gelukkiger zijn.'

'Mm?' vroeg ze. 'Hoe dat zo?'

'Omdat u zichzelf bedient,' zei hij. 'U kiest alles zelf uit en dan brengt u het hier. Dat is geweldig. De meeste mensen... vooral de vrouwen... komen hier binnen en zeggen "Een doos Wheaties". Ik loop helemaal naar achteren waar de ontbijtgranen staan, breng die doos helemaal hier, en dan zeggen ze "O, dat vergat ik... en een doos Rice Krispies". Dus krijg ik voor negenendertig cent een hartaanval. U niet. U nooit. Het is een genoegen zaken met u te doen.'

'Goh,' zei ze. 'Dank u wel.' En haar vingers trilden terwijl ze de dollarbiljetten uittelde. Het was voor het eerst in bijna een week dat ze de klank van haar eigen stem hoorde en het was nog veel, veel langer geleden dat iemand – wie dan ook – iets aardigs tegen haar had gezegd.

Ze draaide een paar keer de eerste cijfers van het informatienummer Geestelijke Hulpverlening, maar kon zich er niet toe zetten het hele nummer te draaien. Niet lang erna draaide ze het toch een keer helemaal en werd doorverwezen naar een ander nummer, waar een vrouw met een zwaar Spaans accent haar, zorgvuldig pratend, de procedure uitlegde: Emily kon elke doordeweekse ochtend voor tienen naar het Bellevue ziekenhuis gaan en dan beneden, in het souterrain, een bordje INLOOPKLINIEK gaan zoeken. Daar zou ze een persoonlijk onderhoud met een maatschappelijk werkster hebben en zou voor later datum een afspraak met een psychiater voor haar worden geregeld.

'Dank u wel,' zei Emily, maar ze ging nooit. Het vooruitzicht zoekend naar een inloopkliniek in de diepten van het Bellevue af te dalen, leek haar bijna net zo verstoken van hoop als het binnengaan van Trudy's studio.

Op een middag kwam ze terug van een lange wandeling naar de Village waartoe ze zich gedwongen had – een bezoek dat kolkte van de herinneringen aan de doden – toen ze op een trottoir stil bleef staan en haar bloed bij het begin van een nieuw idee sneller voelde stromen. Erna liep ze haastig naar huis en toen ze eenmaal alleen was achter haar afgesloten deur sleepte ze een zware, stoffige kartonnen doos uit zijn bergplaats tot midden op de vloer. Het was een doos met oude brieven – ze had nooit een brief kunnen weggooien – en ze doorzocht vele handen vol verschuivende, wegglippende enveloppen, allemaal hopeloos niet meer op chronologische volgorde, voor ze een van de twee vond waarnaar ze op zoek was:

De heer en mevrouw Martin S. Gregory
hebben de eer kennis te geven van het voorgenomen huwelijk
van
hun dochter Carol Elizabeth
met
de eerwaarde heer Peter J. Wilson
op vrijdag, de elfde oktober, negentienhonderd negenenzestig
St. John's Church
Edwardstown, New Hampshire

Ze wist nog dat ze een beetje gekwetst was geweest dat ze niet voor de bruiloft werd uitgenodigd, maar Howard had gezegd 'Doe niet zo gek; niemand geeft tegenwoordig nog een groot, extravagant bruiloftsfeest.' Ze had een duur zilveren huwelijkscadeau gestuurd en van Peters bruid een aardig, ontroerend jong klinkend bedank-briefje in het kleine steilschrift van een particuliere school terug-gekregen.

Het kostte naar haar idee uren om de tweede brief te vinden, die heel wat recenter was.

De eerwaarde en mevrouw Peter J. Wilson
geven kennis van de geboorte van hun dochter
Sarah Jane
zes pond, twee ons
3 december, negentienzeventig

'Tjee, Howard, moet je zien,' had ze gezegd. 'Ze hebben haar naar Sarah vernoemd. Leuk, hè?'

'Mm,' had hij gezegd. 'Heel leuk.'

Maar nu ze de twee aankondigingen gevonden had wist ze niet zo erg wat ze ermee moest. Om die onzekerheid voor zichzelf te verbergen deed ze er lang over om de her en der op de grond ge-vallen brieven op te ruimen en ze terug te stoppen in de doos, die ze terugrukte en -schoof naar de schaduwen waar hij thuishoorde. Daarna waste ze het stof van haar handen en ging rustig met een koud blikje bier ergens zitten, en probeerde ze na te denken.

Het duurde vier of vijf dagen voor ze de moed bij elkaar raapte om een telefoongesprek met de eerwaarde Peter J. Wilson in per-soon, in Edwardstown, New Hampshire aan te vragen.

'Tante Emmy!' zei hij. 'Wow, wat leuk iets van u te horen. Hoe gaat het ermee?'

'O, eh... het gaat wel, dank je. En hoe is het met jullie allemaal? Hoe is het met de kleine meid?'

En zo praatten ze door, over helemaal niets, tot hij vroeg 'Werkt u nog bij dat reclamebureau?'

'Nee, ik... daar werk ik eigenlijk al een tijdje niet meer. Ik werk op het ogenblik eigenlijk helemaal niet.' Ze was zich er scherp van bewust twee keer 'eigenlijk' te hebben gezegd, en het maakte dat ze op haar onderlip beet. 'Ik woon tegenwoordig min of meer alleen en ik heb een hoop tijd over, dus ik denk dat ik daarom' – ze probeerde zo'n beetje te lachen – 'ik denk dat ik daarom onverwacht besloot jullie maar eens op te bellen.'

'Geweldig,' zei hij, en uit de manier waarop hij 'geweldig' zei, werd duidelijk dat hij wel begreep wat 'ik woon tegenwoordig min of meer alleen' zeggen wilde. 'Dat is geweldig. Komt u wel eens deze kant uit?'

'Hè?'

'Komt u wel eens deze kant uit? New England? New Hampshire? Want we zouden het enig vinden om u te zien, wil ik maar zeggen. Carol wilde u altijd al leren kennen. Misschien kunt u een keer voor een weekend komen of zo. Wacht even, moet u horen: ik heb een idee. Wat dacht u van vólgend weekend?'

'O, Peter...' Haar hart klopte snel. '...Het klinkt nu net alsof ik mezelf uitgenodigd heb.'

'Nee, nee,' hield hij vol. 'Doe niet zo gek... zo klinkt het helemaal niet. Moet u horen. We hebben ruimte zat; u hoeft zich niet te behelpen... en het hoeft ook niet alleen voor het weekend te zijn; u kunt zo lang blijven als u wilt...'

De afspraak werd gemaakt. Ze zou aanstaande vrijdag met de bus naar Edwardstown gaan – het was een tocht van zes uur, met een reisonderbreking van een uur in Boston – en Peter zou haar bij het busstation afhalen.

De volgende paar dagen bewoog ze zich met een nieuw soort moreel gezag, het zelfbesef van een belangrijk personage, iemand om rekening mee te houden, iemand om van te houden. Kleren waren een probleem: ze had zo weinig geschikts voor New England in het voorjaar dat ze met het idee speelde er wat bij te kopen, maar dat was dwaasheid; ze kon het zich niet veroorloven. De avond voor haar reis bleef ze laat op om bij het zwakke gele licht van de badkamer (de huisbaas had bezuinigd door overal in badkamers en wc's peertjes van vijfentwintig watt op te hangen) haar panty en al haar ondergoed uit te wassen, en daarna kon ze niet slapen. Ze was nog steeds uitgeput van slaapgebrek toen ze vrijdag 's ochtends vroeg met haar koffertje het kakofonische labyrint van de Port Authority Bus Terminal binnenliep.

Ze had gedacht dat ze misschien in de bus zou kunnen slapen, maar ze kon lange tijd alleen maar veel sigaretten roken en door haar blauwgetinte raampje naar het langskomende landschap staren. Het was een stralende aprildag. Toen werd ze aan het begin van de middag onverhoeds overweldigd door een aanval van slaap; ze werd wakker met kramp in een arm, haar jurk in de kreukels en ogen die voelden alsof er zand in gestrooid was. De bus was nog maar een paar minuten van Edwardstown verwijderd.

Peters begroeting was enthousiast. Hij graaide haar koffer uit haar hand alsof hij het een grievende aanblik vond dat ze zo'n last droeg en nam haar mee naar zijn auto. Het was een genoegen naast hem te lopen: hij liep met moeiteloze, atletische stappen en hield met zijn vrije hand haar elleboog vast. Hij droeg zijn priesterboord – ze bedacht dat hij wel erg high-church episcopaals moest zijn als hij dat de hele tijd droeg – bij een tamelijk chic lichtgrijs pak.

'Het landschap is hier prachtig,' zei hij onder het rijden. 'En u hebt echt een prachtige dag uitgezocht om hier te komen.'

'Mm. Ja, beeldschoon. Het was echt... heel aardig van je om me uit te nodigen.'

'Het was aardig dat u gekomen bent.'

'Is het nog ver naar je huis?'

'Maar een paar kilometer.' Na een tijdje zei hij 'Weet u, tante Emmy? Ik heb sinds het begin van de vrouwenemancipatiebeweging vaak aan u gedacht. U trof me altijd als het toonbeeld van een geëmancipeerde vrouw.'

'Hoe bedoel je, geëmancipeerd?'

'U weet wel... bevrijd van alle oude, achterhaalde sociologische ideeën over wat de rol van een vrouw zou moeten zijn.'

'Jezus, Peter. Ik hoop dat je dat in je preken beter zegt.'

'Beter dan wat?'

'Dan met uitdrukkingen als "achterhaalde sociologische ideeen". Wat ben je... een van die "hippe" priesters?'

'Ja, ik denk wel dat ik tamelijk hip ben. Dat moet wel, als je met jonge mensen werkt.'

'Hoe oud ben je nu, Peter? Achtentwintig? Negenentwintig?'

'Nu bent u toch wel even van de wereld los, tante Emmy. Ik ben eenendertig.'

'En hoe oud is je dochter?'

'Wordt binnenkort vier.'

'Ik was... heel aangenaam getroffen,' zei ze, 'dat je vrouw en jij jullie dochter naar je moeder hebben vernoemd.'

'Mooi,' zei hij en hij week uit naar de linkerbaan om een tankwagen in te halen. Toen hij weer op de rechterbaan zat zei hij 'Ik ben blij dat u aangenaam getroffen was. En ik zal u eens iets zeggen: we hopen dat het de volgende keer een jongen wordt, maar als we weer een dochter krijgen noemen we haar misschien naar u. Hoe zou u dat vinden?'

'Dat zou ik heel... dat zou heel...' Maar ze kon niet uitpraten omdat ze tegen het autoportier gezakt zat te huilen, haar handen voor haar gezicht geslagen.

'Tante Emmy,' vroeg hij verlegen. 'Tante Emmy? Gaat het een beetje?'

Dit was vernederend. Ze was nog geen tien minuten in zijn gezelschap of ze liet toe dat hij haar zag huilen. 'Prima,' zei ze zodra ze kon praten. 'Ik ben gewoon... moe, dat is alles. Ik heb vannacht niet zo veel geslapen.'

'Nou, vannacht slaapt u wel. De lucht is hier boven heel ijl en zuiver; de mensen zeggen dat ze er als een blok van slapen.'

'Mm.' En ze stak uitvoerig een sigaret op, het ritueel waarop ze al haar hele leven vertrouwde om een illusie van zelfbeheersing te herstellen.

'Mijn moeder had altijd slaapproblemen,' zei hij. 'Ik weet nog dat we, toen we kinderen waren, altijd zeiden "Stil zijn. Mamma probeert te slapen."'

'Ja,' zei Emily. 'Ik weet dat ze slaapproblemen had.' Ze was sterk in de verleiding om te vragen Hoe is ze gestorven? Maar ze beheerste zich. In plaats ervan vroeg ze: 'Wat is je vrouw voor iemand, Peter?'

'U ziet haar straks wel. Dan leert u haar kennen.'

'Is ze knap?'

'Wow, zeg dat wel. Ze is mooi. Net als de meeste mannen, denk ik, had ik altijd fantasieën over mooie vrouwen, maar dit meisje is een tot leven gekomen fantasie. Wacht maar tot u haar ziet.'

'Oké. Ik wacht af. En wat doen jullie, zo met z'n tweeën? Doen jullie de hele tijd niets anders dan over Jezus praten?'

'Hè?'

'Zitten jullie tot 's avonds laat over Jezus en de wederopstanding en dat soort dingen te praten?'

Hij keek vluchtig haar kant op, hij leek onzeker. 'Ik begrijp niet waar u heen wilt.'

'Ik probeer alleen een indruk te krijgen van jullie... van hoe jullie... van de manier waarop je met je tot leven gekomen fantasie de tijd doorbrengt.' Ze hoorde in haar stem de hysterie opkomen. Ze draaide het al gedeeltelijk open raampje omlaag en piekte haar sigaret in de windrichting weg en opeens voelde ze zich sterk en gestimuleerd, zoals ze zich gevoeld had toen ze Tony zijn vet gaf. 'Zeg op, droomprins,' zei ze, 'voor de draad ermee. Hoe is ze gestorven?'

'Ik heb geen idee wat u...'

'Peter, je vader sloeg je moeder de hele tijd. Dat weet ik toevallig en ik weet dat jij het ook weet. Ze heeft me verteld dat jullie het alle drie wisten. Lieg niet tegen me; hoe is ze gestorven?'

'Mijn moeder is aan een leveraandoening...'

'..."gecompliceerd doordat ze in huis gevallen is". Ja, ja, die babbel heb ik al eerder gehoord. Jullie hebben je dat verhaal kennelijk goed ingeprent. Het is dat vállen waarover ik wil horen. Hoe is ze gevallen? Hoe raakte ze gewond?'

'Ik was er niet bij, tante Emmy.'

'Christus, wat een rotsmoes. Je was er niet bij. En je hebt het ook nooit zelfs maar gevraagd?'

'Natuurlijk heb ik dat gevraagd. Eric was erbij; hij zei dat ze in de woonkamer over een stoel struikelde en met haar hoofd ergens tegenaan viel.'

'En jij denkt echt dat iemand daaraan dood kan gaan?'

'Dat zou kunnen, ja hoor, als diegene slecht terechtkomt.'

'Goed. Vertel over het onderzoek dat de politie heeft ingesteld. Ik weet toevallig dat de politie een onderzoek heeft ingesteld, Peter.'

'Er wordt in dergelijke gevallen altíjd een onderzoek ingesteld.

Ze hebben niets gevonden; er viel niets te vinden. U klinkt als een soort... waarom onderwerpt u me aan zo'n kruisverhoor, tante Emmy?'

'Omdat ik de waarheid wil weten. Je vader is een bruut.'

Bomen en keurige witte huizen stroomden langs het portierraampje, met hoog in de verte een blauwgroene bergketen, en Peter nam er de tijd voor om haar te antwoorden – zo ruim de tijd dat ze bang begon te worden dat hij een plek zocht waar hij kon keren, zodat hij kon terugrijden naar het busstation en haar naar huis sturen.

'Hij heeft zijn beperkingen,' zei hij ten slotte, zorgvuldig zijn woorden kiezend, 'en hij is in vele opzichten onwetend, maar ik zou hem geen bruut willen noemen.'

'Hij is een bruut,' hield ze vol, nu heftig trillend. 'Hij is een bruut en dom en hij heeft mijn zusje vermoord... hij heeft haar met vijfentwintig jaar bruutheid en domheid en verwaarlozing vermoord.'

'Toe nou, tante Emmy; hou op. Mijn vader heeft altijd zijn best gedaan. De meeste mensen doen hun best. Als er vreselijke dingen gebeuren is daar meestal niemand verantwoordelijk voor.'

'Wat is dát in godsnaam? Heb je dat op dat seminarie van je geleerd, tegelijk met "Slaat iemand u op uw wang, keer hem dan ook de andere toe?" '

Hij had vaart geminderd en gaf een teken dat hij ging afslaan en ze zag nu een kort garagepad met betonnen wegdek, een keurig grasveld en een klein huis met slaapetage, precies het soort huis dat ze zich had voorgesteld. Ze waren er. De binnenkant van de garage, waar hij de auto tot stilstand bracht, was netter dan bij de meeste mensen. Schuin tegen de muur stonden twee fietsen, eentje met een zacht bekleed kinderzitje achter het zadel gemonteerd.

'Dus jullie fietsen!' riep ze dwars over het autodak tegen hem. Ze was, nog steeds trillend, snel uitgestapt en graaide haar koffer van de achterbank; toen, omdat een knalhard geluid haar woede moest benadrukken, smeet ze met volle kracht het portier dicht. 'Dus dát doen jullie. O, zal me dat even een enig gezicht zijn als jullie zondagsmiddags met de kleine hoe-heet-ze-ook-weer gaan fietsen, jullie tweeën helemaal gebruind en langbenig en met van die sexy afgeknipte spijkerbroekjes aan... ik wed dat heel New Hampshire jaloers is...' Ze was nu langs de achterkant van de auto op weg naar hem toe, maar hij bleef haar alleen maar staan aankijken en met zijn ogen knipperen.

'...En dan komen jullie thuis en neem je een douche... douchen jullie samen?... en misschien spelen jullie dan een beetje billetjetik in de keuken terwijl je iets te drinken inschenkt, en dan gaan jullie eten en breng je het kind naar bed en zit je nog een tijdje over Jezus en de wederopstanding te praten en dan komt de belangrijkste gebeurtenis van de dag, ja toch? Je vrouw en jij gaan naar de slaapkamer en doen de deur dicht en jullie helpen elkaar uit de kleren en dan o, Here God... over tot leven gekomen fantasieën gesproken...'

'Tante Emmy,' zei hij, 'dit gaat te ver.'

Dit gaat te ver. Ze liep, zwaar ademend, haar kaken stijf op elkaar geklemd, met haar koffer in haar hand over de oprit naar de straat. Ze wist niet waar ze naartoe ging en ze wist dat ze er belachelijk bij liep, maar ze kon onmogelijk een andere kant op, waarheen dan ook.

Aan het begin van de oprit bleef ze staan, ze keek niet om, en na een tijdje hoorde ze een gerinkel van munten of sleutels in een jas- of broekzak, en rubbergehakte stappen; hij kwam haar halen.

Ze draaide zich om. 'O, Peter, het spijt me,' zei ze, terwijl ze hem niet echt aankeek. 'Ik kan je... ik kan je niet zeggen hoe het me spijt.'

Hij leek hevig gegeneerd. 'U hoeft zich niet te verontschuldigen,' zei hij, terwijl hij de koffer uit haar hand pakte. 'Ik denk dat u waarschijnlijk erg moe bent en rust nodig hebt.' Hij bekeek haar nu met een koele, beschouwende blik, meer die van een alerte jonge psychiater dan van een priester.

'Ja, ik ben moe,' zei ze. 'En zal ik je eens iets geks zeggen? Ik ben nu bijna vijftig en ik heb mijn hele leven nog nooit iets van wat dan ook begrepen.'

'Het is wel goed,' zei hij rustig. 'Het is wel goed, tante Emmy. Zo. Wilt u nu misschien binnenkomen om kennis te maken met mijn gezin?'

Verantwoording van de vertaling

'Geen van beide zusjes Grimes zou in het leven gelukkig worden...' begint de eerste zin van Richard Yates' *Paasparade*. Daarmee heeft Yates zijn toon voor dit boek gezet en geeft hij ons zijn visie op het bestaan: 'Het leven is geen feest, het lijkt soms even leuk terwijl we ons in stand houden met drank en sigaretten, maar ten slotte gaan we eraan ten onder.'

In *Paasparade* wordt deze wisseling van het fortuin met onveranderlijk fatale afloop gesymboliseerd door de verhuizingen van de hoofdpersonen. De trend wordt gezet door de moeder, Pookie, die zich wijdt aan het bereiken en hoog houden van een ondefinieerbare eigenschap die ze 'flair' noemt. Het is een eigenschap die ze bij rijke mensen meer aantreft dan bij de kleine burgerij, dus probeert ze altijd in een 'nette' buurt te wonen, of ze zich dat nu kan veroorloven of niet. Een nette buurt is *uptown* of een van de betere voorsteden van New York; *downtown* staat gelijk aan armoede en statusverlies. Lower Manhattan had in de jaren 1930-1970, de tijd waarin *Paasparade* zich afspeelt, nog niet de geur van modieuze artisticiteit en de enige glorie van Pookies sjofele appartement op Washington Square bestaat er dan ook in dat buspassagiers op weg naar de chique woonwijken bij Central Park bij haar naar binnen kunnen kijken.

Als ik de woorden *uptown* en *downtown* onvertaald liet, zou de huidige lezer de rode draad door het onfortuinlijke leven van moeder en dochters Grimes ontgaan. Daarom heb ik me de vrijheid veroorloofd de tekst een beetje te verduidelijken. Als Pookie zich erover verheugt dat haar huwbare dochter als vrijwilligster voor de Republikeinse presidentskandidaat Wilkie gaat werken, is dat niet omdat zijzelf Republikeins stemt, maar omdat het kantoor van de Wilkie-campagne zich *uptown* bevindt, waar haar dochter wellicht een geschikte echtgenoot zal tegenkomen. Ik heb er 'in de buurt van Central Park' van gemaakt, dat ons ook nu nog chic in de oren klinkt. En als Howard, de vriend van de jongste dochter Emily, weliswaar bij haar intrekt in haar appartementje *downtown*, 'bij Gramercy Park', dat voor Emily al een luxe was, maar zijn auto blijft stallen in de buurt van zijn eigen appartement *uptown*, 'bij Central Park', dan weet de lezer dat zijn liefde voor Emily niet voor de eeuwigheid zal zijn. Na zijn vertrek gaat het met Emily bergafwaarts en verhuist ze richting *downtown*, in vertaling naar een 'zoveel-en-twintigste straat west', een adres waar ze ooit met haar geliefde, een dichter op zijn retour, heeft gewoond en dat elders in het boek wordt genoemd.

Voor sommige hedendaagse lezers zouden ook andere dingen niet meer direct duidelijk zijn, vreesde ik. Je kunt in zo'n geval een voet- of eindnoot opnemen, maar dat geeft een hapering in de tekst en dat was niet Yates' stijl. Dus heb ik de aanvullende informatie opgenomen in de zin. Zo vergelijkt Pookie zich met Nora in *Een poppenhuis* van Ibsen. Het stuk liep in de jaren dertig op Broadway en was wat de intellectuele incrowd gezien moest hebben. Of het nu nog zo vers in het geheugen ligt – ik weet het niet. Dus heb ik er 'van Ibsen' aan toegevoegd. En als Pookie *scarcely [seems] to realize the war had started* zijn er sinds het moment dat Yates dit schreef nog meer oorlogen geweest waarbij Amerika betrokken was. Mijn uitbreiding met 'de aanval op Pearl Harbor' moet het voor een jonge lezer net iets duidelijker maken. De term 'Tweede Wereldoorlog' was toen nog niet gebruikelijk en kon ik dus niet toevoegen. Ik heb echter geprobeerd de verduidelijkingen zo in te voegen dat ze geen afbreuk doen aan het tempo van de tekst.

Hoewel *Paasparade* niet opvalt door een optimistische levensbeschouwing, is de roman lichter van toon dan het meeste werk van Richard Yates. Niet zozeer door de inhoud, het loopt immers slecht af, als wel door de voortdurende ironie waarmee over de onafwendbare tragiek in het leven van moeder en dochters Grimes wordt verteld. Als Emily op een vochtig grasveld haar maagdelijkheid verliest aan een soldaat van wie ze nooit zal weten of hij Maddock, of Maddox, heet en daarna moet overgeven in een afvalbak, roept dat geen vrolijk beeld op, maar je moet toch glimlachen. Het is een kunst die Richard Yates in onberispelijke grammatica en met een bondig taalgebruik bedreef. Zo bondig, dat in vertaling de ironie verloren dreigde te gaan, want Nederlandse ironie moet het hebben van luchtigheid. Dus heb ik, om trouw te kunnen blijven aan Yates' compactheid, in de vertaling lucht moeten scheppen. Zo heb ik nog wel eens de ironie van het zelfstandig of bijvoeglijk naamwoord overgebracht naar het werkwoord – het Nederlands kent een prachtige, uitgebreide keuze aan preciserende werkwoorden – en heb ik soms een bijzin veranderd in een hoofdzin om een kleine pauze te creëren waardoor het erop volgende meer aandacht kreeg.

Marijke Emeis, 2007